# INIS DOM

## SCÉIMEANNA BLIANA AGUS SCRIPT NA NDLÚTHCHEIRNÍNÍ

Liam Breatnach

Gill & Macmillan

Gill & Macmillan Ltd
Ascaill Hume
An Pháirc Thiar
Baile Átha Cliath 12
Agus cuideachtaí comhlachta ar fud an domhain
www.gillmacmillan.ie


0 7171 3324 9
Clóchuradóireacht bunaidh arna déanamh in Éirinn ag Carole Lynch

*Rinneadh an páipear atá sa leabhar seo as laíon adhmaid ó fhoraoisí rialaithe. In aghaidh gach crann a leagtar cuirtear crann amháin eile ar a laghad, agus ar an gcaoi sin déantar athnuachan ar acmhainní nádúrtha.*



## ADMHÁLACHA

Ba mhaith leis na foilsitheoirí a mhuíochas a ghabháil leis na heagraíochtai agus leis na daoine seo a lenas as cead a thabhairt dóibh dánta atá faoi chóipcheart a atáirgeadh sa leabhar seo:

Cló Iar Chonnachta maidir le 'Gluaiseacht' le Caitríona Ní Chonchúir

Beidh na foilsitheoirí sásta socruithe cuí a dhéanamh le haon sealbhóir cóipchirt nach raibh fáil air a dhéanann teagmháil leo tar éis fhoilsiú an leabhair.

# RÉAMHRÁ

Tá iarracht déanta agam sa leabhar seo ar scéim bhliana a chur ar fáil do gach rang, ó rang a haon go rang a sé. Tá an tsraith leabhar *Inis Dom* bunaithe ar na scéimeanna seo. An phríomhaidhm a bhí agam leis na scéimeanna seo a chur ar fáil, ná go mbeadh deis ag an oide a mhacasamhail/ macasamhail féin de scéimeanna a bhunú orthu. D'fhéadfadh sé/sí cur leo nó baint díobh, de réir raon eolais is cumais an ranga.

I gCuraclam Leasaithe na Gaeilge, tugtar aitheantas do na ceithre shnáithe a meastar atá fíor-thábhachtach i múineadh na Gaeilge .i. Éisteacht, Labhairt, Léitheoireacht agus Scríbhneoireacht. Rinne mé iarracht ar bhéim a chur ar na ceithre shnáithe sin agus ar iad a chomhtháthú arís is arís sna scéimeanna agus sna leabhair.

Tá aidhmeanna is cuspóirí coiteanna an Churaclaim Ghaeilge leagtha amach agam i ngach scéim agus rinne mé iarracht ar na haidhmeanna sin a chomhlíonadh ar shlí chomhtháite trí chleachtaí sodhéanta a chur ar fáil. Úsáidtear modhanna difriúla agus straitéisí éagsúla chun an teanga a dhéanamh níos ábhartha don pháiste is dá shaol. Cuirtear lena dtaitneamh is lena dtuiscint le dánta, drámaí, scéalta, cluichí cainte, tomhais is rabhlóga.

D'fhéadfaí príomhaidhmeanna aon scéime a fheidhmiú mar phlean scoile. Déantar iarracht ar fhoclóir, ar chleachtaí, ar thascanna éisteachta, ar chomhrá srl. atá bunaithe ar théamaí an churaclaim a fhorbairt ó scéim go scéim is ó rang go chéile. Tá súil agam go ngríosóidh na scéimeanna seo an t-oide chun modhanna éagsúla dá chuid/cuid féin a fhorbairt maidir le múineadh na Gaeilge agus go gcuideoidh siad leis/léi fíor-chumarsáid a chur chun cinn ní hamháin sa seomra scoile ach lasmuigh de.

Nóta: Rinne mé gach iarracht cloí leis an gcaighdeán sna leabhair m.sh. beirt pháistí; triúr buachaillí; Cé thusa? ag screadach; scaif srl.. Maith dom é, má theip orm anois is arís.

# CLÁR

# SCÉIM BHLIANA - RANG 1

Tá ábhar agus sonraí na scéime seo dírithe ar iarracht a dhéanamh ar aidhmeanna agus chuspóirí an churaclaim a chomhlíonadh.

Go ginearálta, is iad **príomhchuspóirí** agus **príomh-aidhmeanna** an churaclaim sin ná:

1. go mbeadh sé ar chumas an dalta a **riachtanais** féin a chur in iúl i slí go dtuigfear é/í, m.sh.: An bhfuil cead agam dul amach? Cá bhfuil mo scriosán? srl..
2. go gcloífeadh an t-ábhar comhrá, éisteachta, léitheoireachta agus scríbhneoireachta le **saol an dalta**, sé sin leis na téamaí atá aitheanta i gCuraclam na Gaeilge: – Mé Féin, Sa Bhaile, Ar Scoil, Bia, An Teilifís, srl..
3. go mbeadh sé ar chumas an pháiste an Ghaeilge a úsáid **sa seomra ranga** nó lasmuigh de. m.sh. Tá mé ag léamh; Tá mé ag scríobh; Tá mé ag rith, srl..
4. go mbeadh an páiste in ann **páirt ghníomhach** a ghlacadh i réiteach tascanna éisteachta .i. treoracha a leanúint, m.sh. Tarraing pictiúr de bhanana, de charr srl..
5. go mbeadh **foclóir sásúil** ag an dalta a chuideodh leis/léi comhrá a dhéanamh ar aon cheann de na téamaí atá aitheanta sa churaclam, m.sh. An Scoil: – ag léamh, ag scríobh, ag péinteáil, scriosán, srl..
6. go mbeadh an dalta in ann **a m(h)ianta** agus **a m(h)othúcháin** a nochtadh, m.sh. Ba mhaith liom bainne. Tá áthas orm. Tá brón orm. Tá fearg orm. srl..
7. go mbeadh an dalta ábalta **comhoibriú** le dalta nó le daltaí eile tascanna éagsúla a chomhlíonadh, m.sh. Aimsigh na difríochtaí. Ciorclaigh na focail, srl..
8. go mbeadh an dalta in ann **páirt a ghlacadh i ndrámaí**, m.sh. rólanna na gcarachtar sna cleachtaí éagsúla a ghlacadh chuige/chuici féin.

9. go mbeadh an dalta in ann **cluichí** a imirt trí mheán na Gaeilge, m.sh. Feicim le mo shúilín, ríomhaire. Feicim le mo shúilín, ríomhaire agus leabhar, srl..
10. go ndéanfaí gach iarracht ar an gceacht Gaeilge a dhéanamh chomh **taitneamhach** agus is féidir agus go molfaí na páistí arís is arís, fiú má dhéanann siad botúin.

## Na Téamaí

Seo iad a leanas na téamaí atá faoi chúram na scéime seo ar a bhfuil an leabhar *Inis Dom I* bunaithe: Mé Féin, Sa Bhaile, Ar Scoil, Bia, An Teilifís, Ag Siopadóireacht, Caitheamh Aimsire, Éadaí, An Aimsir agus Ócáidí Speisialta, m.sh. Breithlá, Oíche Shamhna agus An Nollaig. Bainfear úsáid as pictiúir, scéalta, póstaeir, dánta, amhráin, cleachtaí agus tascanna éisteachta i múineadh ábhar na dtéamaí úd.

Tá an scéim faoi réir na gceithre rann atá rí-thábhachtach i múineadh na teanga. Is iad na ranna sin: Éisteacht, Labhairt, Léitheoireacht agus Scríbhneoireacht.

## Éisteacht

In aon suíomh ranga, tabharfar orduithe agus beannachtaí. Léireofar béasa, ainmneofar rudaí agus cuirfear ceisteanna. Seo réimse beag den fhoclóir a bheidh ag gabháil leis na ranna úd.

1. **Orduithe**: Oscail/Dún an doras. Oscail/Dún do mhála, do leabhar, do bhosca lóin. Suigh síos. Seas suas. Suígí. Seasaigí. Siúil go mall. Siúil go ciúin. Siúil i líne dhíreach. Glan an deasc/an bord. Tóg amach do pheann luaidhe/do lón/do chriáin, srl.. Cuir do leabhar/do scriosán/do chriáin/do bhosca lóin i do mhála, srl.. Croch suas do chóta. Bí ag scríobh/ ag ithe/ag ól, srl.. Faigh do chriáin/do pheann

luaidhe/do scriosán/do chóta, srl.. Bailigh na criáin/na páipéir, srl..

2. **Beannachtaí**: Dia duit. Dia is Muire duit. Lá breithe sona duit, srl..
3. **Béasa**: Le do thoil. Go raibh maith agat. Tá brón orm. Gabh mo leithscéal.
4. **Ainmneofar** rudaí i dtimpeallacht an dalta, sa bhaile agus sa scoil ach go háirithe – bosca bruscair, mála, leabhair, peann luaidhe, criáin, leabharlann, pictiúir, bróga, bríste, gúna, an ghrian, srl.. Úsáidfear na póstaeir le rudaí a ainmniú – go háirithe rudaí nach bhfuil sa seomra ranga.
5. **Ceisteanna**: Cloisfidh na daltaí an múinteoir ag cur ceisteanna gach lá. Beidh réimse mór ceisteanna á chur aige/aici, m.sh. Cá bhfuil do lón?/do pheann luaidhe? An bhfuil Liam ar scoil inniu? Cé leis an leabhar/peann luaidhe seo? An bhfuil an ghrian ag taitneamh? An bhfuil sé ag cur báistí? An maith leat milseáin/líreacán/oráiste/prátaí/trátaí? An féidir leat rith/siúl/léim, srl..
6. Déanfar aire an pháiste a dhíriú **ar ghnéithe áirithe** de gach téama agus gríosófar é/í lena t(h)uiscint a léiriú ar bhealaí éagsúla .i. Pictiúir a tharraingt nó focail a scríobh. m.sh. lch 2. Tarraing mo chluasa agus mo lámha. Scríobh na focail 'cluas' agus 'lámh'. Anois, féach ar an dara pictiúr agus éist liom. Is mise Licí. Cuir mo shúile ionam agus mo shrón orm. Ansin tarraing mo chosa, srl..

## Labhairt

Déanfar iarracht ar an bpáiste a mhealladh chun a achainíocha, a ráitis agus a ghearáin a rá as Gaeilge. Chomh maith leis sin déanfar dul siar ar na hachainíocha, ráitis srl.. atá foghlamtha ag na daltaí go nuige sin. m.sh.

1. **Achainíocha**: An bhfuil cead agam dul amach? An bhfuil cead agam mo lámha a ní? An bhfuil cead agam scuab phéinte/scriosán a fháil? srl..
2. **Ráitis**: Thit mo pheann luaidhe/scriosán/leabhar ar an urlár. Tháinig Seán isteach. Chuaigh Íde amach. Tá peata nua agam. Tháinig Daideo inné. Tá an fhuinneog briste. srl..
3. **Gearáin**: Bhuail Seán mé. Leag Liam mé. Thug sé leasainm orm. Thóg Síle mo pheann luaidhe. srl..
4. Úsáidfear an comhrá freisin mar **ullmhúchán** don cheacht éisteachta. m.sh. An Nollaig. Ceacht 11. Cuirfear ceisteanna ar an bpictiúr: Cad tá ag Pól/ag Aoife? Inis dom faoin bpictiúr. Cá bhfuil an giotár/an druma/an pianó? An bhfuil Daidí/Ricí/Mamaí sa seomra? srl..
5. Tar éis an taifeadta cuirfear **na hiarcheisteanna** m.sh. An Nollaig. Ceacht 11. Cé a bhí ina chodladh? Cár shiúil San Nioclás? Cad a bhí ó Aoife? Céard a chuir San Nioclás faoin gcrann Nollag? Cár chuir sé an druma/an giotár/an róbat? Cé a tháinig isteach sa seomra? srl.. Ar an gcuma chéanna, tabharfar faoi na cleachtaí éisteachta eile atá faoi chúram gach téama.
6. Lorgófar **cabhair na dtuismitheoirí.** Gríosófar iad chun an méid Gaeilge atá acu a úsáid lena bpáistí. Cuideoidh na ceisteanna sa roinn Comhrá Scoile/ Comhrá Baile i ngach ceacht leo an aidhm seo a chomhlíonadh.
7. **Comhrá ar na Póstaeir**

   Seo a leanas sample den raon comhrá is cainte a dhéanfar maidir leis na téamaí éagsúla. Díreofar aire na bpáistí ar na póstaeir a fhreastalaíonn ar na téamaí úd. Spreagfar na daltaí chun ceisteanna dá gcuid féin a chur.

1. **Mé Féin**:
   (a) Inis dom faoin bpictiúr. Cad tá ag Ricí/ag Aoife? An bhfuil carr/leoraí agat? Cad tá ar an mballa/ar an leabhragán? An bhfuil an cat ina chodladh? srl..
   (b) Inis dom faoin bpictiúr. Cá bhfuil Rúfaí/Fífí? Cad tá ar an gcrann? An bhfuil tú sa pháirc/ar an gcrann/faoin gcrann? Cad tá ar an ngeata/ar an ruga? An bhfuil an geata dúnta/ar oscailt? srl..

## Léitheoireacht

Moltar (Treoirlínte do mhúinteoirí don Ghaeilge lth. 10) gan tabhairt faoi léitheoireacht fhoirmiúil roimh rang 2. Ach déanfar obair réamhléitheoireachta chun suim na ndaltaí a mhúscailt san fhocal clóbhuailte.
Is iad seo a leanas na príomhmhodhanna múinte a úsáidfear:

1. Beidh a lán **focal clóbhuailte** sa seomra ranga. Cuirfear lipéid ar throscán agus ar nithe eile ar fud an tseomra. m.sh.: Clár dubh, clár bán, bord, binse, cathaoir, doras, fuinneog, leithreas, báisín, seilf, srl..
2. Greamófar **liostaí de fhrásaí** éagsúla ag léiriú gníomhartha ar phictiúir nó ar phóstaeir, m.sh. ag damhsa, ag scipeáil, ag rith, ag léim, ag rothaíocht, ag súgradh, ag imirt peile, ag marcaíocht, srl..
3. Cuirfear liosta **orduithe** agus **fógraí** gairide sna háiteanna feiliúnacha sa seomra agus sa scoil, m.sh. Dún an doras. Nigh do lámha. Triomaigh do lámha. Úsáid an tuáille. Siúil go ciúin. Ná rith. srl..
4. De réir mar a théann an scoilbhliain ar aghaidh cuirfear **abairtí iomlána** ar taispeáint, m.sh. Tá dath buí ar an mballa. Tá leabhair sa leabharlann. Tá clár dubh/clár bán/clog/póstaeir ar an mballa. Tá leabhair/glantóir/siosúr ar an mbord. Tá péinteanna/scuaba péinte ar an tseilf. srl..

5. **Éistfear** leis na scéalta, na dánta agus leis na tascanna éisteachta agus sa tslí sin beidh bunchloch fhorbairt na léitheoireachta á leagan síos acu.
6. Déanfar na **treoracha** simplí a mhúineadh trí ghníomhartha agus tríd an gcluiche – Caith an Dísle. m.sh. Tús, Críoch, Ar aghaidh, Ar ais go dtí . . . srl..
7. Tá **lipéid** ar na póstaeir ag ainmniú bréagán, gníomhartha, éadaí, troscán, bianna srl.. Cé nach múinfear go foirmiúil iad, beidh siad ag dul i gcion ar inchinn fho-chomhfhiosach an dalta.
8. Má tá fiosracht na ndaltaí sách múscailte sa léitheoireacht, nó má fheictear comharthaí go bhfuil siad ullamh nó réidh di, **léifear na habairtí i dtús gach ceachta** sa leabhar *Inis Dom 1*.

*Dánta*

Seo iad na dánta atá ar an dlúthchéirnín do rang I.

1. An Liathróid
2. Dúisigh
3. Breithlá Rúfaí
4. Sa Chlós
5. Oíche Shamhna
6. An Banana
7. Teilifíseán is ea Mé
8. Siopa Bréagán
9. Gluaiseacht (Caitríona Ní Chonchúir)
10. An Vardrús
11. An Samhradh

## Scríbhneoireacht

Bunófar an scríbhneoireacht ar ghnéithe den éisteacht, den chomhrá is den léitheoireacht atá déanta ag na daltaí. Beidh orthu poncanna a cheangal, pictiúir a tharraingt agus a dhathú, pictiúir agus focail a mheaitseáil agus difríochtaí a aimsiú. Tabharfar cleachtadh dóibh ar fhocail is ar litreacha a rianú agus ar bhearnaí a líonadh.

## Measúnú Gníomhach

Beifear ag déanamh forbairt an pháiste a mheasúnú de shíor i rith na scoilbhliana. Iarrfar ar na páistí tascanna éagsúla a dhéanamh, tascanna a léireoidh a ndul chun cinn m.sh.

1. **Taispeáin** dom doras, cófra, bord, cathaoir, srl..
2. **Cuir** do mhéar ar do cheann, do shrón, do bhéal, do chluas, srl..
3. **Taispeáin** dom do gheansaí, do léine, do bhróga, do charbhat, srl..
4. **Faigh** an chailc, an glantóir, an leabhar, an scriosán, an cóipleabhar, srl..
5. **Oscail**/Dún an doras, do bhéal, do shúile, srl..
6. **Bí ag** ól/ag damhsa, ag léim/ag rith/ag léamh, srl..
7. **Seas** suas! Suígí! Suigh síos! Seasaigí!
8. **Tabhair** dom do pheann luaidhe/do chóipleabhar srl..
9. **Cuir** an leabhar ar an mbord/ar an deasc. Cuir an páipéar sa bhosca bruscair. Cuir an chailc ar an gclár dubh, srl..
10. **Dathaigh** an bád, an cóta. Ceangail na poncanna, srl..
11. **Ciorclaigh** na focail. Caith an Dísle. Aimsigh na difríochtaí.
12. **Tóg** amach do lón/do chriáin/do leabhair, srl..
13. Fág an bosca/an leabhar/an chailc/an glantóir, ar an deasc/ar an mbord/i do mhála, srl..

# SCÉIM BHLIANA - RANG 2

Tá ábhar agus sonraí na scéime seo dírithe ar iarracht a dhéanamh ar aidhmeanna agus chuspóirí an churaclaim a chomhlíonadh.

Go ginearálta, is iad **príomhchuspóirí** agus **príomhaidhmeanna** an churaclaim sin ná:

1. go mbeadh sé ar chumas an dalta **a riachtanais** féin a chur in iúl i slí go dtuigfear é/í: m.sh. An bhfuil cead agam dul go dtí an leabharlann/go dtí an bosca bruscair? An bhfuil cead agam peann luaidhe/crián a fháil, srl..
2. go gcloífeadh an t-ábhar comhrá, éisteachta, léitheoireachta agus scríbhneoireachta le **saol an dalta**, sé sin, leis na téamaí atá aitheanta i gCuraclam na Gaeilge: Mé Féin, Sa Bhaile, Ar Scoil, Bia, Éadaí, Caitheamh Aimsire, srl..
3. go mbeadh an páiste in ann **páirt ghníomhach** a ghlacadh i réiteach tascanna éisteachta .i. treoracha a leanúint, m.sh. Tógaigí amach na leabhair Bhéarla. Cuir do mhéar ar an róbat. Tarraing prátaí ar an bpláta. srl..
4. go mbeadh sé ar chumas an pháiste an Ghaeilge a úsáid **sa seomra ranga** nó lasmuigh de, m.sh.: An bhfuil cead agam scriosán a fháil? Tá crián dearg ag Pól. Tá siosúr ag Áine, srl..
5. go mbeadh **foclóir sásúil** ag an dalta a chuideodh leis/léi comhrá a dhéanamh ar aon cheann de na téamaí atá aitheanta sa churaclam m.sh. Caitheamh aimsire – liathróid, stocaí peile, cúl, salach, ag snámh, srl..
6. go mbeadh an dalta in ann **a m(h)ianta** agus **a m(h)othúcháin** a nochtadh, m.sh. Ba mhaith liom úll/oráiste/líreacán. Bhí fearg/brón/áthas/ionadh orm, srl..

7. go mbeadh an dalta in ann **páirt a ghlacadh i ndrámaí**, m.sh. rólanna na gcarachtar sna cleachtaí éagsúla agus go háirithe sna drámaí in *Inis Dom 2* a ghlacadh chuige/chuici féin.
8. go mbeadh an dalta in ann **cluichí** a imirt trí mheán na Gaeilge, m.sh. Tá subh ar an mbord. Tá subh agus arán ar an mbord. Tá subh agus arán agus _____ ar an mbord, srl..
9. go mbeadh na daltaí in ann na **scéalta**, na **drámaí** agus na **dánta** sa leabhar *Inis Dom 2* a léamh agus go mbeidís in ann **comhoibriú lena chéile** chun cleachtaí áirithe a dhéanamh m.sh. focail a chiorclú, difríochtaí a aithint, srl..
10. go ndéanfaí gach iarracht ar an gceacht Gaeilge a dhéanamh chomh **taitneamhach** agus is féidir agus go molfaí na páistí arís is arís, fiú má dhéanann siad botúin.

## Na Téamaí

Seo iad a leanas na téamaí atá faoi chúram na scéime seo ar a bhfuil an leabhar *Inis Dom 2* bunaithe: Mé Féin, Sa Bhaile, Ar Scoil, Bia, An Teilifís, Ag Siopadóireacht, Caitheamh Aimsire, Éadaí, An Aimsir agus Ócáidí Speisialta, m.sh. Ar an bhFeirm, An Chóisir, Cois Trá, Sa Zú. Bainfear úsáid as pictiúir, scéalta, póstaeir, dánta, amhráin, cleachtaí agus tascanna éisteachta i múineadh ábhar na dtéamaí úd.

Tá an scéim faoi réir na gceithre rann atá rí-thábhachtach i múineadh na teanga. Is iad na ranna sin: Éisteacht, Labhairt, Léitheoireacht agus Scríbhneoireacht.

## Éisteacht

De bhrí go mbeidh an Ghaeilge á húsáid go teagmhasach mar theanga chaidrimh sa rang beidh deis ag na daltaí éisteacht leis an nGaeilge á labhairt go rialta gach lá. In aon suíomh ranga, tabharfar orduithe, beannachtaí agus moltaí. Léireofar béasa, ainmneofar rudaí agus cuirfear ceisteanna. Seo réimse beag den fhoclóir a bheidh ag gabháil leis na ranna úd.

1. **Orduithe**: Lámha trasna. Bígí ciúin. Oscail leathanach a deich. Féach ar an bpictiúr/ar an bpóstaer. Lámha in airde. Seas suas, a Sheáin/a Shíle. Pioc suas do pheann luaidhe/do leabhar. Glan an clár dubh/an clár bán. Déan na suimeanna. Tar isteach. Téigh amach, srl..
2. **Beannachtaí agus béasa**: Dia duit. Dia 's Muire duit. Slán leat. Go raibh maith agat. Tá brón orm. Gabh mo leithscéal. Slán libh, srl..
3. **Focail Mholta**: Maith thú, a Sheáin/a Laoise! Go maith. An-mhaith. Tá an pictiúr sin go hálainn. Ar fheabhas. D'imir tú sár-chluiche. Tá sibh go han-mhaith, srl..
4. **Ainmneofar** rudaí i dtimpeallacht an dalta m.sh. Córacha taistil – leoraí, long, veain, rothar, gluaisrothar, srl.. Úsáidfear na póstaeir le rudaí a ainmniú, m.sh. bréagáin–puipéid, róbat, giotár, cluiche ríomhaire, srl..
5. **Ceisteanna**: Beidh réimse mór ceisteanna á chur ag an múinteoir gach lá, ceisteanna a bheidh dírithe ar an dalta féin, ar a ghaolta, ar a chaithimh aimsire, srl.. m.sh. An bhfuil deartháir/deirfiúr agat? An bhfuil madra/cat agat? An raibh an ghrian ag taitneamh inné? An raibh sé ag cur báistí inné? Cár chuir tú do pheann luaidhe/do scriosán? srl..
6. Déanfar aire an pháiste a dhíriú **ar ghneithe áirithe** de gach téama agus gríosófar é/í lena t(h)uiscint a léiriú ar bhealaí éagsúla, cuir i gcás, ceisteanna a fhreagairt, treoracha a leanúint nó pictiúir a tharraingt agus a dhathú, m.sh:
   (i) Tá bord sa seomra. Tarraing ciseán air. Cuir Rúfaí isteach ann. Tarraing Ricí faoin mbord. Cuir leabhar ina láimh, srl..

(ii) Tá bosca ar an urlár. Cuir peann luaidhe, leabhar agus clog sa bhosca, srl..
(iii) Dathaigh an pictiúr, an leabharlann agus an bosca bruscair, srl..

## Labhairt

Maidir le labhairt na teanga úsáidfear an Ghaeilge go neamhfhoirmiúil i rith an lae. Déanfar iarracht ar an bpáiste a mhealladh chun a c(h)uid achainíocha, mianta, ráiteas agus gearán a rá as Gaeilge.

1. **Achainíocha**
   An bhfuil cead agam dul amach?/dul go dtí an leithreas? dul go dtí an bosca bruscair? An bhfuil cead agam leabhar/peann luaidhe a fháil? srl..
2. **Mianta**
   Ba mhaith liom úll/milseán/leabhar/cluiche peile, srl..
   B'fhearr liom líomanáid/burgar/an leabhar sin, srl..
3. **Ráitis**
   Níl aon pheann luaidhe/leabhar/leathanach agam, srl..
   Tá an doras ar oscailt/dúnta. Tá bruscar ar an urlár.
   Chaill mé mo scriosán/mo pheann luaidhe, srl..
4. **Gearáin**
   Bhuail Seán mé. Thóg Liam mo pheann luaidhe. Scríobh Ciara ar mo chóipleabhar/ar mo leabhar, srl..

Seo a leanas cuid de na feidhmeanna teanga a bheidh faoi chúram na scéime.

1. **Caidreamh Sóisialta**
   Dia duit. Dia 's Muire duit. Slán leat. Slán agat. Conas tá tú? A Sheáin! A Nora! A Shíle! srl..
2. **Dul i gCion ar Dhuine**
   An bhfuil cead agam crián a fháil? Tá cead agat.
   An bhfuil cead agam súgradh leat? Tá cead agat.

An bhfuil cead agam liathróid a fháil? Tá. Níl.
Go raibh maith agat. Oscail an doras/an fhuinneog/ do mhála, srl..

3. **Dearcadh a Léiriú agus a Lorg**
An maith leat bainne? Is maith liom bainne.
An maith leat cóc? Ní maith liom cóc.
An maith leat bheith ag siúl/ag léim? Is maith liom bheith ag siúl/ag léim. srl..

4. **Eolas a Lorg agus a Thabhairt**
Céard atá sa mhála? Tá leabhar/peann luaidhe sa mhála. Céard atá ar siúl agat? Tá mé ag léamh leabhair/ag scríobh sa chóipleabhar/ag féachaint ar éan, srl.. Ar chuala tú carr? Chuala mé/Níor chuala mé. An ndearna tú caisleán? Rinne mé/Ní dhearna mé, srl..

5. **Struchtúr a Chur ar Chomhrá**
Abairtí a thosú – Ansin/Tar éis tamaill/Tháinig mé/Ar chuala tú?/An ndeachaigh tú/An bhfaca tú? srl..

6. **Nuacht Shimplí Phearsanta a Insint**
Chonaic mé carr, bus, veain agus rothar ar maidin. Chuala mé/Fuair mé/Cheannaigh mé srl.. Tá mo mhadra tinn. Bhí cóisir agam inné. Cheannaigh Mamaí carr nua, srl..

7. **Rabhlóga agus Tomhais**
   (a) Bosca brioscaí beaga agus bosca brioscaí móra.
   Rug rón mór ar an iora rua, srl..
   (b) Tosaíonn sé leis an litir 'c' agus is féidir é a ithe. Cad é?
   Tosaíonn sé leis an litir 'o' agus is féidir é a ól. Cad é?
Tá sé i mo láimh. Tá mé ag scríobh leis. Cad é? srl..

8. **Cluichí Cainte:**
m.sh. Ceacht 1. Feicim leabhar le mo shúilín. Feicim Mamaí le mo shúilín. Feicim tine le mo shúilín, srl..

9. **Caith an Dísle**
Le cabhair an chluiche seo, déanfar dul siar ar fhoclóir, ar mhúnlaí cainte agus ar bhriathra atá foghlamtha ag

an dalta go nuige seo, m.sh. Tosaigh arís, Siar go huimhir a dó, Léim go huimhir a naoi déag, srl..

10. Lorgófar **cabhair na dtuismitheoirí**. Gríosófar iad chun an méid Gaeilge atá acu a úsáid lena bpáistí. Cuideoidh na ceisteanna agus na freagraí sa roinn Comhrá beirte/Comhrá baile i ngach ceacht leo, an aidhm seo a chomhlíonadh.

## Léitheoireacht

Maidir leis an *léitheoireacht* tabharfar taithí dóibh ar an bhfocal scríofa a fheiceáil ina dtimpeallacht – go háirithe sa seomra ranga – lipéid ar throscán – rialacha srl. m.sh. – fuinneog, bord dúlra, doirteal, clár dubh, bosca bruscair – Dún an doras – Coimeád an leithreas glan – Dún an sconna srl..

Is iad seo a leanas na téamaí, na scéalta srl. a fhreastalaíonn orthu siúd atá faoi chúram an leabhair *Inis Dom 2*.

1. **Mé Féin**:
   (a) **Mise** – Aimsir Láithreach. Na baill bheatha.
   (b) **An Seomra Codlata** – Aimsir Láithreach. Na baill éadaigh.
2. **Sa Bhaile**
   (a) **Sa Chistin** – Aimsir Láithreach, ag ithe, ag obair, ag ól, Is maith liom.
   (b) **Mo Chat** – Aimsir Láithreach, agam, agat, aige, aici.
   (c) **Fífí agus Rúfaí** – Aimsir Láithreach, ag súgradh, ag luascadh, ag obair, Cluiche Cainte
3. **Dul Siar**: **Scéal** – Cupán bainne
   **Dráma** – Rúfaí
4. **An Scoil**:
   (a) **Ar Scoil** – Aimsir Láithreach, ar an mballa, ar an gcathaoir, ar an gcófra
   (b) **Sa Seomra Ranga** – Aimsir Láithreach, ag rith, ag scipeáil, ag féachaint

5. **Ócáid Speisialta**: **Oíche Shamhna** – Aimsir Chaite, na dathanna – dubh, gorm, dearg, buí, glas, donn
6. **Bia**: An Dinnéar – Aimsir Chaite, D'ith, Níor ith
7. **Dul Siar**: **Scéal** – An Pictiúr
   **Dráma** – Niall Bocht
8. **An Teilifís**: **An Teilifís** – Aimsir Láithreach. Is maith liom/leat/leis/léi. Cluiche Cainte.
9. **Ag Siopadóireacht**: **Sa Siopa** – Aimsir Chaite, Chuaigh, Ní dheachaigh
10. **Ócáid Speisialta**: **Lá Nollag** – Aimsir Chaite. An Chruib
11. **Dul Siar**: **Scéal** – An Cartún
    **Dráma** – An tÚll
12. **Caitheamh Aimsire**:
    (a) **Peil** – Aimsir Chaite. Laethanta na Seachtaine, mo bhríste, a bhríste, a bríste
    (b) **Páistí ag Súgradh** – Aimsir Láithreach. Ag iascaireacht, ag péinteáil, ag léim. Na hUimhreacha. Cluiche Cainte.
13. **Éadaí**: **Sa Siopa Éadaigh** – Aimsir Chaite, orm, ort, air, uirthi, mo, do, a.
14. **An Aimsir**: **Lá Fliuch** – Aimsir Chaite. Na huimhreacha
15. **Dul Siar**: **Scéal** – Ag Péinteáil
    **Dráma** – Liathróid Pheile
16. **Ócáidí Speisialta**:
    (a) **Ar an bhFeirm** – Aimsir Laithreach. Mothúcháin: fearg, brón, eagla.
    (b) **An Chóisir** – Aimsir Chaite. An tAm.
    (c) **Cois Trá** – Aimsir Chaite
    (d) **An Zú** – Aimsir Chaite. Modhanna Taistil – leoraí, veain, long, rothar, gluaisrothar, tacsaí, traein, eitleán.
17. **Dul Siar**: **Scéal** – An Phicnic
    **Dráma** – An Chóisir

*Filíocht*

Tá na dánta atá faoi chúram an leabhair *Inis Dom 2* ar an dlúthchéirnín.

Déanfar iarracht ar chuid de na dánta seo a fhoghlaim de ghlanmheabhair.

1. Bzz (Gabriel Fitzmaurice)
2. Ricí, Licí, Rúfaí, Fífí
3. Mo Mhála
4. Is Maith Liom Gach Dath
5. Tar Éis na Nollag (Dáithí Ó Diollúin)
6. Frog (Seán Ó hEachthigheirn)
7. An Tuath
8. Cois Trá
9. An Zú

## Scríbhneoireacht

Maidir leis an *scríbhneoireacht* tabharfaidh na daltaí faoi chleachtaí oiriúnacha scríbhneoireachta a bheidh bunaithe ar ábhar éisteachta, comhrá, gramadaí is léitheoireachta.

Iarrfar orthu cleachtaí a dhéanamh a dhéanfaidh **measúnú** ar a gcuid eolais ar na topaicí seo a leanas.

1. Na baill bheatha.
2. Na baill éadaigh.
3. Urú i ndiaidh 'ar an' m.sh. ar an mbord, ar an gcathaoir, ar an mballa srl..
4. An forainm réamhfhoclach 'ag': agam, agat, aige, aici.
5. Tá/Níl.
6. An t-ainm briathartha: ag rith, ag siúl, ag féachaint, srl..
7. An briathar 'ith': dearfach agus diúltach.
8. Na dathanna – dubh, glas srl..
9. An forainm réamhfhoclach 'le': liom, leat, leis, léi.

10. Laethanta na seachtaine.
11. Na haidiachtaí sealbhacha; 'mo', 'do', 'a'.
12. Na bunuimhreacha: aon choinín amháin . . . deich gcoinín.
13. An forainm réamhfhoclach 'ar': orm, ort, air, uirthi.
14. Comhaireamh . . . Caith an Dísle.
15. Mothúcháin: fearg, brón, eagla srl..
16. An t-am: a trí a chlog, a cúig a chlog, srl..
17. Aidiachtaí – contrárthachtaí: ramhar, tanaí, ard, íseal, srl..
18. Modhanna taistil: leoraí, tacsaí, traein, srl..

Seo a leanas na cleachtaí scríbhneoireachta atá faoi chúram an leabhair *Inis Dom 2*.

1. Ceisteanna a fhreagairt.
2. Bearnaí a líonadh.
3. Poncanna a cheangal.
4. Focail a chur in ord.
5. Cluichí cainte a scríobh.
6. Focail agus pictiúir a mheaitseáil.
7. Focail a chiorclú.
8. Pictiúir a chríochnú.
9. Crosfhocail a líonadh.
10. Pictiúir a dhathú.
11. Cód a bhriseadh agus a fhreagairt.

# SCÉIM BHLIANA RANG 3

Tá ábhar agus sonraí na scéime seo dírithe ar iarracht a dhéanamh ar aidhmeanna agus chuspóirí an churaclaim a chomhlíonadh.

Go ginearálta, is iad príomhchuspóirí agus príomhaidhmeanna an churaclaim sin ná:

1. go mbeadh sé ar chumas an dalta **í/é féin a chur in iúl** i slí go dtuigfear é/í. m.sh. an bhfuil cead agam dul go dtí an doirteal/go dtí an siopa? An bhfuil cead agam an doras/an fhuinneog a oscailt/a dhúnadh srl..
2. go mbeadh an páiste in ann **páirt ghníomhach** a ghlacadh i réiteach tascanna éisteachta .i. treoracha a leanúint. m.sh. Cuir an uimhir cheart isteach sa bhosca ceart, Cuir fuinneog ar an mballa sa phictiúr, srl..
3. go gcloífeadh an t-ábhar comhrá, éisteachta, léitheoireachta agus scríbhneoireachta le **saol an dalta**, sé sin, leis na téamaí atá aitheanta i gCuraclam na Gaeilge: Mé Féin, Sa Bhaile, Ar Scoil, Bia, An Aimsir, Ócáidí Speisialta, srl..
4. go mbeadh sé ar chumas an pháiste an Ghaeilge a úsáid **sa seomra ranga** nó lasmuigh de, m.sh. An bhfuil cead agam rialóir/crián a fháil? Ní féidir liom an fhuinneog/doras a oscailt/a dhúnadh, srl..
5. go mbeadh **foclóir sásúil** ag an dalta a chuideodh leis/léi comhrá a dhéanamh ar aon cheann de na téamaí atá aitheanta sa churaclam, m.sh. An Aimsir – ag cur báistí, ag cur seaca, ag cur sneachta, srl..
6. go mbeadh an dalta in ann **a m(h)ianta** agus **a m(h)othúcháin** a nochtadh m.sh. Ba mhaith liom bheith ag snámh/ag scipeáil, srl.. Tá bród an domhain orm. Tá áthas an domhain orm, srl..

7. go mbeadh an dalta in ann **páirt a ghlacadh** i ndrámaí, m.sh. rólanna na gcarachtar sna cleachtaí éagsúla agus go háirithe sna drámaí in *Inis Dom 3* a ghlacadh chuige/chuici féin.
8. go mbeadh an dalta in ann **cluichí** a imirt trí mheán na Gaeilge m.sh. 'Caith an Dísle' agus 'Feicim le mo Shúilín'.
9. go mbeadh na daltaí in ann na **scéalta**, na **drámaí** agus na **dánta** sa leabhar *Inis Dom 3* a léamh agus go mbeidís in ann **comhoibriú lena chéile** chun cleachtaí áirithe a dhéanamh, m.sh. focail a chiorclú, difríochtaí a aithint, srl..
10. go ndéanfaí gach iarracht ar an gceacht Gaeilge a dhéanamh chomh **taitneamhach** agus is féidir agus go molfaí na páistí arís is arís, fiú amháin má dhéanann siad botúin.

## Na Téamaí

Seo iad a leanas na téamaí atá faoi chúram na scéime seo ar a bhfuil an leabhar *Inis Dom 3* bunaithe. Mé Féin (Mise, Eoin sa Seomra Folctha); Sa Bhaile (Luas an Rógaire, Eoin Bocht); An Scoil (Ar Scoil); Bia (Mo Bhricfeasta, An Bhialann); An Teilifís (An Teilifís, Daidí agus an Cianrialtán); Ag Siopadóireacht (Siopa Glasraí, Bhí an tÁdh le Seán); Caitheamh Aimsire (Rachaidh mé ag Snámh, Cluichí Ríomhaire); Éadaí (Seomra Codlata Eoin, Bróga Nua); An Aimsir (An tSeachtain Seo Caite, Lá Gaofar); Ócáidí Speisialta (Oíche Shamhna, An Litir, An t-Ospidéal, Breithlá Chiara, San Aerfort). Bainfear úsáid as pictiúir, scéalta, amhráin, póstaeir, dánta, cleachtaí agus tascanna éisteachta i múineadh ábhar na dtéamaí úd.

Tá an scéim faoi réir na gceithre rann atá rí-thábhachtach i múineadh na teanga. Is iad na ranna sin: Éisteacht, Labhairt, Léitheoireacht agus Scríbhneoireacht.

## Éisteacht

In aon suíomh ranga, tabharfar orduithe, beannachtaí agus moltaí. Léireofar béasa, ainmneofar rudaí agus cuirfear ceisteanna. Seo réimse beag den fhoclóir a bheidh ag gabháil leis na ranna úd.

1. **Orduithe**
   Tóg amach do leabhar Gaeilge. Oscail leathanach a cúig. Féach ar an gcéad líne. Léigh an líne sin, a Sheáin. Féach ar an bpictiúr. Féach ar Eoin/ar Chiara. Cuir isteach do leabhar. Tóg amach do bhosca lóin. Ith do lón anois. Ná cuir an páipéar ar an urlár. Cuir an páipéar isteach sa bhosca bruscair. srl..
2. **Beannachtaí agus Béasa**
   Dia duit. Dia 's Muire duit. Slán leat. Slán agat. Gabh mo leithscéal. Tá brón orm. Conas tá tú? Conas tá do Mhamaí? Go raibh maith agat. srl..
3. **Focail Mholta**
   Maith an buachaill! Maith an cailín! Go han-mhaith. Rinne tú sárphictiúr, a Shíle. Ar fheabhas, a Nóra. Tá tú go han-mhaith. srl..
4. **Ainmneofar** rudaí i dtimpeallacht an dalta m.sh. San Aerfort – eitleán – rúidbhealach – píolóta – aeróstach – paisinéirí – trucail bhagáiste – héileacaptar, srl.. Úsáidfear na póstaeir chun rudaí a ainmniú freisin.
5. **Ceisteanna**
   Beidh réimse mór ceisteanna á chur ag an múinteoir gach lá, ceisteanna a bheidh dírithe ar shaol agus ar obair an dalta sa scoil. m.sh. Cá bhfuil do pheann luaidhe/do scriosán/do rialóir/do chriáin? Cár chuir tú an siosúr? Ar chuir tú an páipéar sa bhosca bruscair? Taispeáin dom na coiníní/na bláthanna/an crann sa phictiúr. Ar dhún/oscail tú an doras/an fhuinneog? srl..
6. Déanfar aire an pháiste a dhíriú **ar ghnéithe áirithe** de gach téama agus gríosófar é/í lena t(h)uiscint a léiriú

ar bhealaí éagsúla, cuir i gcás, ceisteanna a fhreagairt, treoracha a leanúint nó pictiúr a tharraingt: m.sh.

(i) Féach ar an bpictiúr. Is mise Máire. Is maith liom bainne. Cuir cupán bainne i mo láimh.

(ii) Féach ar an bpictiúr. Tarraing Ciara ina suí ar an gcathaoir agus í ag léamh leabhair. Cuir leabhar nótaí ar an matal, srl..

## Labhairt

Maidir le labhairt na teanga úsáidfear an Ghaeilge go neamhfhoirmiúil i rith an lae. Déanfar iarracht ar an bpáiste a mhealladh chun a c(h)uid achainíocha agus a mianta a rá as Gaeilge mar is iad na feidhmeanna teanga úd croílár na cumarsáide. Seo iad a leanas cuid de na feidhmeanna teanga a bheidh faoi chúram na scéime bliana.

1. **Caidreamh Sóisialta**: Dul siar ar obair rang a dó. Dia duit! Dia is Muire duit! A Eoin! A Chiara! A Mháire! Cad is ainm duit? Cé thusa? Maith thú. Lá breithe sona duit, srl..
2. **Dul i gCion ar Dhuine**: An bhfuil cead agam dul go dtí an bord dúlra/go dtí an leithreas/go dtí an leabharlann? An bhfuil cead agam bioróir a fháil/rialóir a fháil/scriosán a fháil? Ar mhaith leat burgar/sceallóga/cairéad/úll/ubh/cóc? An ndúnfaidh tú an doras/an fhuinneog/an bosca?
3. **Dearcadh a Léiriú agus a Lorg**: An bhfuil tú tinn/te/fuar? An féidir leat siúl/scipeáil/marcaíocht? An féidir leat an doras a dhúnadh/an doras a oscailt/carr a thiomáint? An bhfuil a fhios agat cá bhfuil an glantóir/an siosúr/an bioróir/do mhála/mo mhadra/mo chat/mo chuid airgid? An bhfuil sé fliuch/go breá? An bhfuil tú cinnte? Tá mé cinnte. Ba mhaith liom siúl/rith/marcaíocht, srl..
4. **Eolas a Lorg agus a Thabhairt**: Céard a rinne tú ar maidin/inné? Céard a rinne tú sa seomra folctha/sa

chistin/sa seomra codlata? Cár chuir tú do mhála/do chóta/do leabhair? An bhfuil an ghrian ag taitneamh anois? An bhfuil sé ag cur sneachta? An bhfuil sé gaofar/ceomhar anois? Cén dath atá ar an leon/ar an gcamall/ar an ngoraille? Cé leis an peann/an scriosán/an rialóir? Bhris mé. Níor bhris mé. Chonaic mé/Ní fhaca mé. Chuaigh mé. Ní dheachaigh mé, srl..

5. **Struchtúr a Chur ar Chomhrá**: Ansin/Tar éis tamaill/Ar chuala tú? An bhfaca tú? Ar ith tú? Ar tháinig tú? An ndeachaigh tú? An raibh tú? Bhuel, tá . . . srl..
6. **Nuacht Shimplí Phearsanta a Insint**: Tá deirfiúr/deartháir agam. Tá Mamó/Daideo ina c(h)ónaí liom. Bhí cóisir agam inné. Fuair mé cártaí agus bronntanais. Tá ríomhaire agam. Imrím peil, snúcar, galf air. Téim ag snámh gach Satharn. Scríobh mé litir chuig Daidí na Nollag. srl..
7. **Rabhlóg, tomhais agus seanfhocail:**
   **Rabhlóga**:
   (i) Tá gruaig fhada rua ar an róbat ramhar.
   (ii) Chonaic mé San Nioclás ag scátáil ar chlár scátála.
   (iii) Ghlan Fiachra a fhiacla le taos fiacla srl..
   **Tomhais**:
   (i) Tá sé sa seomra folctha agus tosaíonn sé leis an litir 't'. Cad é? Tuáille
   (ii) Tá lámha agam ach ní féidir liom scríobh. Cé mise? Clog
   (iii) Cuireann tú timpeall do mhuiníl é gach maidin. Tosaíonn sé leis an litir 'c'. Cad é? Carbhat. srl..
   **Seanfhocail**:
   (i) Is maith an t-anlann an t-ocras.
   (ii) Titfidh an duine a rithfidh.
   (iii) Is olc an ghaoth nach séideann do dhuine éigin.
   (iv) Tá nead bheag níos teo ná nead mhór.
8. **Feicim le mo shúilín**: Imreofar an cluiche 'Feicim le mo shúilín' arís is arís. m.sh. ceacht ar an mbialann –

Feicim le mo shúilín pláta sceallóga. Feicim le mo shúilín pláta sceallóg agus scian. Feicim le mo shúilín pláta sceallóg agus scian agus salann. srl..

9. **Comhrá ar na pictiúir agus ar na póstaeir**:
   Seo a leanas sampla den raon comhrá is cainte a dhéanfar ar na téamaí is na topaicí éagsúla. Díreofar aire na bpáistí ar na pictiúir nó ar na póstaeir a fhreastalaíonn ar na téamaí úd. Cuirfear ceisteanna agus spreagfar na daltaí chun ceisteanna dá gcuid féin a chur.
   m.sh. (a) Sa Bhaile – Luas an Rógaire: Cá raibh Ciara? An raibh sí sa chistin? Cé a tháinig isteach sa seomra? Cad a rinne sé? Ar chuir sé cóta air? Ar chuir sé bríste air? Céard a chuir sé air? Céard atá ar an leaba/ar an urlár/sa vardrús? An bhfuil Luas ina shuí ar an gcathaoir/ar an leaba/ar an ruga? srl.. Cá bhfuil Licí? An bhfuil an ghrian ag taitneamh? An bhfuil sé ag cur báistí? Céard atá ar an bhfuinneog? srl..
10. Lorgófar **cabhair na dtuismitheoirí**. Gríosófar iad chun an méid Gaeilge atá acu a úsáid lena bpáistí. Cuideoidh na ceisteanna agus na freagraí atá sa roinn Comhrá beirte/Comhrá baile i ngach ceacht leo, an aidhm seo a chomhlíonadh.

## Léitheoireacht

Maidir leis an *léitheoireacht* tabharfar taithí dóibh ar an bhfocal scríofa a fheiceáil ina dtimpeallacht, go háirithe sa seomra ranga – lipéid ar throscán, m.sh. radaitheoir, féilire, leithreas, Cuir do bhruscar isteach anseo, Coimeád an leabharlann néata, srl..

Is iad seo a leanas na téamaí agus teidil na scéalta a fhreastalaíonn orthu maille leis na pointí gramadaí srl. atá faoi chúram an leabhair *Inis Dom 3*.

1. **Mé Féin**:
   (a) **Mise** – Aimsir Láithreach. Na baill bheatha.
   (b) **Eoin sa Seomra Folctha** – Aimsir Chaite. Na Briathra 'Dún' agus 'Glan' san Aimsir Chaite.
2. **Sa Bhaile**
   (a) **Luas an Rógaire** – Aimsir Chaite. Na Briathra 'Cuir' agus 'Bris' san Aimsir Chaite.
   (b) **Eoin Bocht** – Aimsir Chaite. Na Briathra 'Fág' agus 'Fan' san Aimsir Chaite.
3. **Dun Siar**: **Scéal** – Luas agus Cití
   **Dráma** – Peata
4. **An Scoil**: - **Ar Scoil** – Aimsir Láithreach, i mo chodladh, ina chodladh, ina codladh
5. **Bia**:
   (a) **Mo Bhricfeasta** – Aimsir Láithreach, orm, ort, air, uirthi
   (b) **An Bhialann** – Aimsir Chaite, liom, leat, leis, léi. Seanfhocal – Is maith an t-anlann an t-ocras.
6. **Ócáid Speisialta**: Oíche Shamhna – Aimsir Chaite, An tAm – leathuair tar éis a dó/a trí/a ceathair, srl..
7. **Dul Siar**: **Scéal** – Bhí Ocras ar Chiara
   **Dráma** – An Peann Luaidhe
8. **An Teilifís**
   (a) **An Teilifís** – Aimsir Chaite
   (b) **Daidí agus an Cianrialtán** – Aimsir Chaite, agam, agat, aige, srl..
9. **Ócáid Speisialta**: **An Litir** – Aimsir Chaite. An Chéad Nollaig, dom, duit, dó, di.
   **Dráma**: **An Giotár**
10. **Ag Siopadóireacht**
    (a) **Siopa Glasraí** – Aimsir Chaite, Na Briathra 'Ceannaigh' agus 'Tosaigh' san Aimsir Chaite
    (b) **Bhí an tÁdh le Seán** – Aimsir Chaite. Is féidir liom. Ní féidir liom.
11. **Dul Siar**: **Scéal** – Eoin sa Chathair.

12. **Caitheamh Aimsire**:
    (a) **Rachaidh Mé ag Snámh** – Aimsir Fháistineach. Na Briathra 'Dún' agus 'Glan' san Aimsir Fháistineach.
    (b) **Cluichí Ríomhaire** – Aimsir Fháistineach. Na Briathra 'Cuir' agus 'Rith' san Aimsir Fháistineach.
13. **Éadaí**:
    (a) **Seomra Codlata Eoin** – Aimsir Fháistineach. Na Briathra 'Ól' agus 'Fág' san Aimsir Fháistineach.
    (b) **Bróga Nua** – Aimsir Fháistineach. Na dathanna. Na Briathra 'Ceannaigh' agus 'Tosaigh' san Aimsir Fháistineach.
14. **An Aimsir**:
    (a) **An tSeachtain seo Caite** – Aimsir Chaite; te – níos teo, fuar – níos fuaire, fada – níos faide, srl.. Uimhreacha Pearsanta – aon bhuachaill amháin, beirt bhuachaillí, triúr buachaillí, srl..
    (b) **Lá Gaofar** – Aimsir Chaite. Na séasúir. Na Bunuimhreacha Neamhphearsanta – aon bhláth amháin, dhá bhláth, srl..
15. **Ócáidí Speisialta**:
    (a) **An tOspidéal** – Aimsir Chaite; den mhatal, den chathaoir, den chrann srl.. Caith an Dísle.
    (b) **Breithlá Chiara** – Aimsir Chaite. Do chóta, do bhosca, do gheansaí. Rabhlóg – Fuair triúr fear ramhar trí euro sa pháirc.
    (c) **San Aerfort** – Aimsir Chaite. Tirim – fliuch, trom – éadrom, fada – gearr, te – fuar. Seanfhocal: Tá nead bheag níos teo ná nead mhór. srl..
16. **Dul Siar**: **Scéal** – Cois Trá
    **Dráma** – Na Bróga Salacha

*Filíocht*

Tá na dánta atá faoi chúram an leabhair *Inis Dom 3* ar an dlúthchéirnín. Déanfar iarracht ar chuid de na dánta seo a fhoghlaim de ghlanmheabhair.

1. Táim Láidir (Lionard Ó hAnnaidh)
2. An Luchín
3. Rúfaí
4. Mo Choileán
5. An Clog
6. An Bronntanas
7. An Tíogar
8. An Fómhar (Gabriel Fitzmaurice)
9. An tEarrach
10. Bláthanna (Nóríde Ní Mhuimhneacháin)

## Scríbhneoireacht

Tabharfaidh na daltaí faoi chleachtaí oiriúnacha scríbhneoireachta a bheidh bunaithe ar ábhar éisteachta, cainte is léitheoireachta. Sna tascanna éisteachta iarrfar orthu pictiúir a tharraingt agus ceisteanna a fhreagairt ó bhéal nó sa chóipleabhar.

Seo a leanas na cleachtaí scríbhneoireachta atá faoi chúram an leabhair *Inis Dom 3*.

1. Ceisteanna ar scéal a fhreagairt.
2. Bearnaí a líonadh.
3. Focail a chur in ord.
4. Focail agus pictiúir a mheaitseáil.
5. Focail a chiorclú.
6. Bolgáin a líonadh.
7. Difríochtaí a aimsiú agus a scríobh.
8. Abairtí a chríochnú.
9. Focail a chur in abairtí.
10. Aistí gairide a scríobh.
11. Cód a bhriseadh agus an freagra a scríobh.
12. Crosfhocal a líonadh.

# SCÉIM BHLIANA RANG 4

Tá ábhar agus sonraí na scéime seo dírithe ar iarracht a dhéanamh ar aidhmeanna agus chuspóirí an churaclaim a chomhlíonadh.

Go ginearálta, is iad príomhchuspóirí agus príomhaidhmeanna an churaclaim sin ná:

1. go mbeadh an dalta in ann **í/é féin a chur in iúl** i slí go dtuigfear é/í m.sh. An bhfuil cead agam suí/ seasamh/ rith/scríobh/leabhar a léamh? An bhfuil cead agam mo lón a ithe/deoch a ól? An bhfuil cead agam bior a chur ar mo pheann luaidhe? An bhfuil cead ag Seán cuidiú liom? srl..
2. go mbeadh sé ar chumas an pháiste, **páirt ghníomhach** a ghlacadh i réiteach tascanna éisteachta .i. treoracha a leanúint, m.sh. Tarraing Seán ina shuí ag ní a chos i mbáisín uisce. Cuir tuáille ar an gcathaoir. Tarraing an solas ar lasadh. Tarraing a bhróga ar an urlár, srl..
3. go gcloífeadh an t-ábhar comhrá, éisteachta, léitheoireachta agus scríbhneoireachta le **saol an dalta**, sé sin, leis na téamaí atá aitheanta i gCuraclam na Gaeilge: Mé Féin, Sa Bhaile, Ar Scoil, Bia, An Aimsir, Éadaí, Ócáidí Speisialta – An Crann Nollag, An Turas Scoile, srl..
4. go mbeadh sé ar chumas an pháiste an Ghaeilge a úsáid **sa seomra ranga** nó lasmuigh de, m.sh. Tá rialóir/scriosán/bioróir ag teastáil uaim. Rinne mé dearmad ar mo leabhar/ar mo chóipleabhar/ar mo lón. Ní féidir liom an cheist/an tsuim a dhéanamh srl..
5. go mbeadh **foclóir sásúil** ag an dalta a chuideodh leis/léi comhrá a dhéanamh ar aon cheann de na téamaí atá aitheanta sa churaclam m.sh. An Teilifís –

teilifíseán, cartún, clár, dúlra, an nuacht, gallúnra (galluntraí), clár spóirt, cianrialtán, an fhuaim, srl..

6. go mbeadh an dalta in ann **a m(h)ianta** agus **a m(h)othúcháin** a nochtadh m.sh. Ba mhaith liom cartún a fheiceáil. Níor mhaith liom an nuacht/clár comhrá a fheiceáil. Ba mhaith liom caisleán/teach a thógáil. Tá fearg/áthas/tuirse/brón an domhain orm, srl..
7. go mbeadh an dalta in ann **páirt a ghlacadh** i ndrámaí m.sh. rólanna na gcarachtar sna cleachtaí éagsúla agus go háirithe sna drámaí in *Inis Dom 4* a ghlacadh chuige/chuici féin.
8. go mbeadh an dalta in ann **cluichí** a imirt trí mheán na Gaeilge m.sh. Caith an Dísle.
9. go mbeadh na daltaí in ann na **scéalta**, na **dánta** agus na **drámaí** sa leabhar *Inis Dom 4* a léamh agus go mbeidís in ann **comhoibriú lena chéile** chun cleachtaí áirithe a dhéanamh, m.sh. focail a chiorclú, crosfhocail a líonadh, difríochtaí a aithint, srl..
10. go ndéanfaí gach iarracht ar an gceacht Gaeilge a dhéanamh chomh **taitneamhach** agus is féidir agus go molfaí na páistí arís is arís, fiú amháin má dhéanann siad botúin.

## Na Téamaí

Seo iad a leanas na téamaí atá faoi chúram na scéime seo ar a bhfuil an leabhar *Inis Dom 4* bunaithe.

1. Mé Féin – Lochán Uisce, Bhí Ciara Tinn.
2. Sa Bhaile – Laoise ag Ní a Cuid Gruaige, Ciarán agus an Leabhar
3. An Scoil – Ciarán agus an Bheach, Laoise agus an Préachán
4. Ócáid Speisialta – Oíche Shamhna
5. Bia – Rinne Laoise Ceapaire Cáise, Bheirigh mé Ubh Aréir

6. An Teilifís – An Teilifís, Gach Aoine
7. Ócáid Speisialta – An Crann Nollag
8. Ag Siopadóireacht – Gach Satharn, An Bráisléad
9. Caitheamh Aimsire – Scannán Uafáis, An Leabharlann
10. Éadaí – Na hÉadaí Salacha, Daidí ag Obair
11. An Aimsir – Bhí an tÁdh Linn, Leac Oighir
12. Ócáidí Speisialta – Sa Spáinn, An Turas Scoile
    Bainfear úsáid as pictiúir, scéalta, póstaeir, dánta, drámaí, amhráin, cleachtaí agus tascanna éisteachta i múineadh ábhar na dtéamaí úd.

Tá an scéim faoi réir na gceithre rann atá rí-thábhachtach i múineadh na teanga. Is iad na ranna sin: Éisteacht, Labhairt, Léitheoireacht, agus Scríbhneoireacht.

## Éisteacht

Beidh an Ghaeilge á húsáid mar theanga chaidrimh is bhainisteoireachta sa rang, sa scoil agus sa chlós. In aon suíomh ranga, tabharfar orduithe, beannachtaí agus moltaí. Léireofar béasa, ainmneofar rudaí agus cuirfear ceisteanna. Seo réimse beag den fhoclóir a bheidh ag gabháil leis na ranna úd.

1. **Orduithe**
   Glan an clár dubh/an clár bán. Faigh an chailc/an glantóir/na criáin. Bain díot do chóta/do chaipín. Déan na suimeanna. Féach ar an gclár dubh/ar an gclár bán/ar an léarscáil/ar an bhféilire. Léigh an scéal/an dán. Foghlaim an litriú/an dán/an seanfhocal/an rabhlóg. Siúil go dtí an doras. Tosaigh ag scríobh/ag dathú/ag léamh, srl..
2. **Beannachtaí agus Béasa**
   Déanfar dul siar ar an méid atá déanta i rang a haon, a dó agus a trí, m.sh. Dia duit. Dia is Muire duit. Slán leat. Slán agat. Go raibh maith agat. Gabh mo leithscéal. Tá brón orm. Dia linn. Breithlá sona duit. Nollaig faoi shéan is faoi mhaise duit, srl..

3. **Focail Mholta**
   Maith thú! Maith an buachaill/an cailín! Sin aiste an-mhaith. Rinne tú do dhícheall. Rinne tú pictiúr álainn. Tá sibh go han-mhaith. Ar fheabhas, a Nóra. Tá do scríbhneoireacht go han-néata, srl..
4. **Ainmneofar** rudaí i dtimpeallacht an dalta m.sh. Oíche Shamhna: cnónna, bairín breac, masc, scuab, braillín, taibhse, oráistí, úlla, euro, báisín uisce, srl.. Úsáidfear na póstaeir agus pictiúir chun rudaí a ainmniú freisin.
5. **Ceisteanna**
   Beidh réimse mór ceisteanna á chur ag an múinteoir gach lá, ceisteanna a bheidh dírithe ar shaol agus ar obair an dalta sa scoil agus sa chlós. m.sh. Cár fhág tú do chóipleabhar/do rialóir/do bhioróir? Conas a tháinig tú ar scoil? An bhfaca tú bus/carr/tacsaí/leoraí ar an mbóthar? Cé acu is fearr leat Gaeilge nó Béarla?/ Matamaitic nó Stair?/cluiche ríomhaire nó cluiche peile? An raibh tú ag rith/ag troid sa chlós? Ar thaitin an cluiche cispheile leat? srl..
6. Déanfar aire an pháiste a dhíriú **ar ghnéithe áirithe** de gach téama agus gríosófar é/í lena t(h)uiscint a léiriú ar bhealaí éagsúla, cuir i gcás, ceisteanna a fhreagairt, treoracha a leanúint nó pictiúir a tharraingt. m.sh. Tarraing mála scoile ar dhroim Sheáin. Cuir spéaclaí ar Dhaideo. Tarraing siopadóir taobh thiar den chuntar. Tarraing coimhthíoch ag siúl ar an mbealach trasnaithe. Tarraing dréimire agus rópa ar crochadh ar an mballa srl..

## Labhairt

Déanfar iarracht ar an bpáiste a mhealladh chun a achainíocha, a m(h)ianta, a g(h)earáin srl. a rá as Gaeilge. Seo iad a leanas cuid de na feidhmeanna teanga a bheidh faoi chúram na scéime bliana.

1. **Achainíocha**
   (a) An bhfuil cead agam dul go dtí an oifig/go dtí an bosca bruscair/go dtí an leabharlann? srl..
   (b) An bhfuil cead agam bioróir/glaethéip/scriosán a fháil? srl..
   (c) An bhfuil cead againn rith/léim/caint/cluiche sacair a imirt? srl..
2. **Mianta**
   (a) Ba mhaith liom ceapaire cáise/ceapaire sicín/ceapaire liamháis srl..
   (b) Is maith liom subh/oráiste/líomanáid. Ní maith liom cóc/burgar srl..
   (c) Is maith liom cartún/clár spóirt/clár dúlra srl..
3. **Gearáin**
   Thóg Liam mo pheann/mo scriosán/mo chriáin. Sháigh Ciara/Nóra/Síle mé. Dhoirt Áine bainne/uisce ar mo leabhar. Thug Seán leasainm orm srl..
4. **Ráitis**
   Chaill mé mo scriosán/mo chriáin/mo bhioróir/mo rialóir. Bhuail mé mo cheann. Thit mé sa chlós/sa halla/sa dorchla. Chonaic mé an cigire/an sagart sa halla, srl..
5. **Comhrá Sóisialta**
   Déanfar dul siar ar na beannachtaí agus ar na béasa atá déanta go dtí seo m.sh. Dia duit! Dia 's Muire duit! Conas tá tú? Cén aois thú? Slán abhaile. Feicfidh mé amárach thú, srl..
6. **Dul i gCion ar Dhuine**
   An féidir leat rith/cispheil/sacar a imirt? An féidir leat ceapaire cáise/turcaí a dhéanamh? An dtéann tú go dtí an siopa gach lá/go dtí an linn snámha gach lá? srl..
7. **Dearcadh a Léiriú agus a Lorg**
   An bhfuil a fhios agat cá bhfuil mé? Tá a fhios agam. Ar mhaith leat bheith ag léamh/ag éisteacht/ag canadh? srl.. Ba mhaith liom. An bhfuil sé scamallach/ceomhar? srl..

8. **Eolas a Thabhairt agus a Lorg**
Cé acu is fearr leat, ceapaire nó burgar? B'fhearr liom ceapaire. Ar bhris tú an ghloine/an fhuinneog? Bhris mé. Níor bhris mé. Cad tá ag barr an tseomra/ag bun an tseomra? srl..
9. **Struchtúr a Chur ar Chomhrá**
Abairtí agus ceisteanna a thosú: Díreach ansin! Tar éis tamaill/Nach bhfuil/Ar tháinig sé? An bhfaca tú? Ar thaitin sé? An gcuirfidh mé? Ní féidir leat! srl..
10. **Rabhlóga, tomhais agus seanfhocail**
**Rabhlóga**:
(i) Rug Liam rua ar luch ramhar liath.
(ii) Dhoirt Peadar piobar ar phráta i bpláta Ruairí, srl..
**Tomhais**:
(i) Tá dhá chos fúm ach ní féidir liom siúl. Cé mise? Bríste.
(ii) Tá lámha orm, tá aghaidh orm, ach ní féidir liom m'aghaidh a ní. Cé mise? Clog
(iii) Tá fiacla agam ach ní féidir liom ithe. Cé mise? Cíor ghruaige. srl..
**Seanfhocail**:
(i) Is fearr paiste ná poll.
(ii) Nuair a bhíonn an cat amuigh bíonn na lucha ag rince.
(iii) Bíonn blas ar an mbeagán.
11. **Comhrá ar na pictiúir agus ar na póstaeir**:
Seo a leanas sampla den raon comhrá is cainte a dhéanfar ar na téamaí is ar na topaicí éagsúla. Díreofar aire na bpáistí ar na pictiúir nó ar na póstaeir a fhreastalaíonn ar na téamaí úd. Cuirfear ceisteanna agus spreagfar na daltaí chun ceisteanna dá gcuid féin a chur. m.sh. (a) **An Scoil** – Ciarán agus an Bheach. An raibh na páistí ina suí/ina seasamh? Inis dom faoi phictiúr a haon/a dó. Ceard atá ar an mbord? Cá bhfuil an múinteoir ag dul? Cén fáth a bhfuil sí ag dul amach? An

bhfuil an fhuinneog ar oscailt/dúnta? Céard a d'eitil isteach an fhuinneog? Céard a rinne Ciarán?

12 Lorgófar **cabhair na dtuismitheoirí**. Gríosófar iad chun an méid Gaeilge atá acu a úsáid lena bpáistí. Cuideoidh na ceisteanna agus na freagraí atá sa roinn Comhrá beirte/Comhrá baile i ngach ceacht leo, an aidhm seo a chomhlíonadh.

## Léitheoireacht

Maidir leis an *léitheoireacht* tabharfar taithí do na daltaí ar an bhfocal scríofa a fheiceáil ina dtimpeallacht – go háirithe sa seomra ranga, sa chlós agus i ndorchlaí na scoile – lipéid agus abairtí ar throscán m.sh. 'Tá ocras orm' ar an mbosca bruscair; 'Siúlaigí go ciúin' ar an mballa. 'Coimeád an doras dúnta' ar an doras – 'Ná bígí ag rith' – 'Beirigí greim ar an ráille staighre'. srl..

Is iad seo a leanas na téamaí, na scéalta léitheoireachta agus na pointí gramadaí atá faoi chúram an leabhair *Inis Dom 4*.

1. **Mé Féin**:
   (a) **Lochán Uisce**
   An Réamhfhocal 'i' agus na hAidiachta Sealbhacha: mo, do, a
   (b) **Bhí Ciara Tinn**
   An tAm: a dó, a trí a chlog; leathuair tar éis a dó/a trí srl.. Baill an choirp.
2. **Sa Bhaile**:
   (a) **Laoise ag Ní a Cuid Gruaige**
   An Briathar 'Dún' san Aimsir Chaite.
   Na Dobhriathra agus na Réamhfhocail isteach, istigh, amach, amuigh
   (b) **Ciarán agus an Leabhar**
   Na Dobhriathra agus na Réamhfhocail suas, thuas, anuas, síos, aníos, srl..

An Briathar 'Bris' san Aimsir Chaite.

3. **An Scoil**:
   (a) **Ciarán agus an Bheach**
   An Briathar 'Ceannaigh' san Aimsir Chaite
   Na hAideachtaí Sealbhacha: i mo dhiaidh, i do dhiaidh, srl..
   (b) **Laoise agus an Préachán**
   Mothúcháin: brón/fearg/áthas/eagla an domhain
4. **Ócáid Speisialta**: Oíche Shamhna
   An Forainm Réamhfhoclach 'ar' – orm, ort, air, srl..
5. **Bia**:
   (a) **Rinne Laoise Ceapaire Cáise**
   An tAm: ceathrú chun, ceathrú tar éis, srl..
   (b) **Bheirigh mé Ubh Aréir**
   An Forainm Réamhfhoclach 'le' – liom, leat, leis, léi, srl..
6. **An Teilifís:**
   (a) **An Teilifís**
   An Briathar 'Dún' san Aimsir Láithreach
   (b) **Gach Aoine**
   An Briathar 'Cuir' san Aimsir Láithreach
   Na Réimíreanna Aidiachtacha: an-bhodhar, an-óg, an-aosta, an-fhuar, an-chliste, an-mhisniúil
7. **Ócáid Speisialta**: **Crann Nollag**
   An Forainm Réamhfhoclach 'do' – dom, duit, dó srl..
   An Briathar 'Fág' san Aimsir Láithreach
8. **Ag Siopadóireacht**:
   (a) **Gach Satharn**
   An Briathar 'Ceannaigh' san Aimsir Láithreach
   (b) **An Bráisléad**
   An Forainm Réamhfhoclach 'ó' – uaim, uait, uaidh, srl..
9. **Caitheamh Aimsire:**
   (a) **Scannán Uafáis**
   An Forainm Réamhfhoclach 'as' – asam, asat, as, srl..

(b) **An Leabharlann**
Na hOrduimhreacha: an chéad fhear, an dara fear, srl..
An tAinm Briathartha: ag imirt peile/cártaí/eitpheile srl..

10. **Éadaí**:
(a) **Na hÉadaí Salacha**
An Forainm Réamhfhoclach 'de' – díom, díot, de, srl..
(b) **Daidí ag Obair**
Na Frásaí: Tar éis an dinnéir, tar éis an rása, srl..

11. **An Aimsir**:
(a) **Bhí an tÁdh Linn**
An Briathar 'Dún' san Aimsir Fháistineach
(b) **Leac Oighir**
An Briathar 'Cuir' san Aimsir Fháistineach
An forainm réamhfhoclach 'ó' – uaim, uait, uaidh, srl..
Na bunuimhreacha neamhphearsanta – aon choinín amháin, dhá choinín, trí choinín . . . seacht gcoinín, srl..

12. **Ócáidí Speisialta**:
(a) **Sa Spáinn** – an chlann, an samhradh, árasán, D'ullmhaigh Mamaí, linn snámha, aimsir róthe, srl..
An briathar 'Ceannaigh' san Aimsir Fháistineach.
(b) **An Turas Scoile**, Baile Átha Cliath, an t-aerfort, an zú, Páirc an Chrócaigh, thaitin sé, srl..
Na huimhreacha pearsanta – aon chailín amháin, beirt chailíní, srl..

*Filíocht*

Tá na dánta atá faoi chúram an leabhair *Inis Dom 4* ar an dlúthchéirnín.

Déanfar iarracht ar chuid de na dánta seo a fhoghlaim de ghlanmheabhair.

1. An Seilide
2. An Dearcán
3. Áthas
4. Arsa an tUlchabhán
5. Donncha Rua
6. An Teilifís
7. Taisteal (Éamonn Ó Riordáin)
8. Éadaí
9. An Féileacán (Siobhán Ní Mhuimhneacháin)

## Scríbhneoireacht

Tabharfaidh na daltaí faoi chleachtaí oiriúnacha scríbhneoireachta a bheidh bunaithe ar ábhar éisteachta, cainte is léitheoireachta. Sna tascanna éisteachta iarrfar orthu pictiúir a tharraingt agus ceisteanna a fhreagairt ó bhéal nó sa chóipleabhar.

Seo a leanas na cleachtaí scríbhneoireachta atá faoi chúram an leabhair *Inis Dom 4*.

1. Ceisteanna ar scéal a fhreagairt.
2. Cleachtaí ar phointí gramadaí a scríobh.
3. Bearnaí a líonadh.
4. Scéalta a scríobh.
5. Abairtí agus pictiúir a mheaitseáil.
6. Crosfhocail a dhéanamh.
7. Focail a chiorclú.
8. Abairtí a chur in ord.
9. Focail a chur in ord.
10. Difríochtaí a aimsiú.

# SCÉIM BHLIANA RANG 5

Tá ábhar agus sonraí na scéime seo dírithe ar iarracht a dhéanamh ar aidhmeanna agus chuspóirí an churaclaim a chomhlíonadh.

Go ginearálta, is iad príomhchuspóirí agus príomhaidhmeanna an churaclaim ná

1. go mbeadh sé ar chumas an dalta **a riachtanais** féin a chur in iúl i slí go dtuigfear é/í, m.sh. Tá mé anfhuar/an-te. An ndúnfaidh/osclóidh mé an doras led' thoil? Níl mé agam féin. An bhfuil cead agam glaoch a chur ar mo Mhamaí?
2. go mbeadh an páiste in ann **páirt ghníomhach** a ghlacadh i réiteach tascanna éisteachta .i. treoracha a leanúint, m.sh. Tarraing pláta ar an mbord agus cuir babhla air. Anois, cuir sásar agus cupán air ar an taobh deas den phláta srl..
3. go gcloífeadh an t-ábhar comhrá, éisteachta, léitheoireachta agus scríbhneoireachta le **saol an dalta**, sé sin leis na téamaí atá aitheanta i gCuraclam na Gaeilge: Mé Féin, Sa Bhaile, Ar Scoil, Bia, Ócáidí Speisialta, An Aimsir, srl..
4. go mbeadh sé ar chumas an pháiste an Ghaeilge a úsáid **sa seomra ranga** nó lasmuigh de m.sh. An nglanfaidh mé an t-urlár? Dhoirt mé bainne air. Rinne mé dearmad ar mo rialóir, srl..
5. go mbeadh **foclóir sásúil** ag an dalta a chuideodh leis/léi comhrá a dhéanamh ar aon cheann de na téamaí atá aitheanta sa churaclam m.sh. An Scoil – na hábhair: matamaitic, suimeanna, freagraí, stair, tíreolaíocht, ríomhaire, cúirt chispheile, srl..
6. go mbeadh an dalta in ann **a m(h)ianta** agus **a m(h)othúcháin** a nochtadh, m.sh. An bhfuil cead

againn peil, cispheil a imirt? An bhfuil cead agam suí in aice an radaitheora? Bhí ionadh/fearg/brón/díomá orm, srl..

7. go mbeadh an dalta in ann **páirt a ghlacadh** i ndrámaí, m.sh. rólanna na gcarachtar sna cleachtaí éagsúla agus go háirithe sna drámaí in *Inis Dom 5* a ghlacadh chuige/chuici féin.
8. go mbeadh an dalta in ann **tomhais** a chur agus a fhreagairt, **rabhlóga** a rá agus an cluiche **Caith an Dísle** a imirt.
9. go mbeadh sé ar chumas an dalta scéalta, drámaí agus dánta taitneamhacha **a léamh** agus go mbeadh eolas aige/aici ar bhunrialacha gramadaí.
10. go mbeadh na daltaí in ann **comhoibriú lena chéile** chun cleachtaí a dhéanamh, ceisteanna a fhreagairt, aistí gairide a scríobh, srl..
11. go ndéanfaí gach iarracht ar an gceacht Gaeilge a dhéanamh chomh **taitneamhach** agus is féidir agus go molfaí na páistí arís is arís, fiú amháin má dhéanann siad botúin.

## Na Téamaí

Seo iad a leanas na téamaí atá faoi chúram na scéime seo ar a bhfuil an leabhar *Inis Dom 5* bunaithe.

1. Mé Féin – Tráthnóna Inné, Cuairt ar an nGruagaire.
2. Sa Bhaile – Mo Chol Ceathar, Seán agus an Cat.
3. An Scoil – Ciara agus a Peata luchín, Timpiste sa Chlós.
4. Bia – Ag Ní na nGréithe, An Smólach sa Ghairdín.
5. Teilifís – Aréir.
6. Ócáid Speisialta – Lá Nollag.
7. Ag Siopadóireacht – Cuairt ar an Siopa Físeán, Ciara ag Siopadóireacht.
8. An Aimsir – An Bhláthcheapach, An Stoirm.
9. Éadaí – Comórtas Bréagéadaigh (Bréagéide).

10 Ócáid Speisialta – Lá 'le Pádraig.
11. Caitheamh Aimsire – Imríonn Síle Camógaíocht, Imríonn Ciara Leadóg.
12. Ócáidí Speisialta – Turas Scoile, An Cheolchoirm.

Bainfear úsáid as pictiúir, scéalta, póstaeir, dánta, drámaí, amhráin, cleachtaí agus tascanna éisteachta i múineadh ábhar na dtéamaí úd.

Tá an scéim faoi réir na gceithre rann atá ríthábhachtach i múineadh na teanga. Is iad na ranna sin: Éisteacht, Labhairt, Léitheoireacht agus Scríbhneoireacht.

## Éisteacht

In aon suíomh ranga tabharfar orduithe, beannachtaí agus moltaí. Léirofar béasa, ainmneofar rudaí agus cuirfear ceisteanna. Seo réimse beag den fhoclóir a bheidh ag gabháil leis na ranna úd.

1. **Orduithe**: Éistigí! Bígí ag léamh/ag scríobh. Osclaígí leathanach a deich/a fiche. Siúlaigí i líne dhíreach. Béirigí greim ar an ráille staighre. Féachaigí ar an bpóstaer srl..
2. **Beannachtaí agus Béasa**: Dia duit. Dia 's Muire duit. Slán libh. Slán agaibh. Gabh mo leithscéal. Le do thoil, srl..
3. **Focail Mholta**: Maith sibh a bhuachaillí/a chailíní. Go maith. Go han-mhaith. Rinne tú sár-iarracht/sár-phictiúr. D'imir tú sár-chluiche. Rinne tú sár-léim, srl..
4. **Ainmneofar** rudaí i dtimpeallacht an dalta m.sh. Sa Bhaile – ráille staighre, spás oscailte, luascáin, sleamhnáin, bun na sráide, barr na sráide, srl..
5. **Ceisteanna**: Beidh réimse mór ceisteanna á chur ag an múinteoir gach lá, ceisteanna a mbeidh baint acu le saol agus le hobair an dalta sa rang, m.sh. An bhfuil rialóir/glaethéip/bioróir agat? Ar fhreagair tú na ceisteanna? Cár chuir tú an chruinneog? srl..

6. Déanfar aire an pháiste a dhíriú **ar ghnéithe áirithe** agus gríosófar é/í lena t(h)uiscint a léiriú ar bhealaí éagsúla, cuir i gcás
   (a) **Pictiúir a tharraingt**: m.sh. Féach ar an bpictiúr ar leathanach a cúig. Tarraing léarscáil agus féilire ag barr an tseomra. Cuir bosca bruscair agus leabharlann ag bun an tseomra, srl..
   (b) **Treoracha a leanúint**: m.sh. Féach ar an bpictiúr ar leathanach 43. Tarraing an pláta agus an babhla air os comhair na cathaoireach. Ansin tarraing sásar agus babhla air, ar an taobh deas den phláta srl..
   (c) **Fírinneacht nó bréige ráitis a aithint**: m.sh. Leathanach 58 Ceist 5. Éistfear le giota ar an dlúthchéirnín, agus iarrfar ar na daltaí 'fíor' nó 'bréagach', 'ceart' nó 'mícheart' a scríobh i ndiaidh na ráiteas éagsúil.
   (d) **Ceisteanna a fhreagairt agus a scríobh** m.sh. Leathanach 32 Ceist uimhir 7. Éistfear le scéal ar an dlúthchéirnín agus iarrfar ar na daltaí ceisteanna a fhreagairt ar a gcóipleabhair.
7. Tá na scéalta is na drámaí sna ceachtanna athbhreithnithe ar an dlúthchéirnín agus éistfear leo siúd freisin.

## Labhairt

Maidir le labhairt na teanga úsáidfear an Ghaeilge go neamhfhoirmiúil i rith an lae. Sa rang, déanfar iarracht ar an bpáiste a mhealladh chun a c(h)uid achainíocha, mianta, gearán agus ráiteas a rá as Gaeilge mar is iad na feidhmeanna úd croílár na cumarsáide.

I dtaca leis an méid a chleachtófar sa rang seo, déanfar dul siar ar a bhfuil foghlamtha go nuige seo, m.sh.

1. **Achainíocha**:
   (a) An bhfuil cead agam peann luaidhe/crián/siosúr/ an liathróid chispheile a fháil?
   (b) An bhfuil cead agam mo lámha/mo mhéar/ m'aghaidh a ní? srl..
   (c) An bhfuil cead agam suí in aice le Nóra/le Colm/le Laoise? srl..
   (d) An bhfuil cead agam an clár dubh/clár bán/an t-urlár a ghlanadh? srl..
   (e) An bhfuil cead agam na cóipleabhair/na scuaba péinte/na criáin a thabhairt amach? srl..
   (f) An bhfuil cead agam an doras/an fhuinneog a oscailt/a dhúnadh? srl..
   (g) An gcaithfidh mé ceist a sé/a deich a dhéanamh? srl..
2. **Mianta**
   (a) Ba mhaith liom dul go dtá an leabharlann/an phictiúrlann/an zú/an bosca bruscair/an oifig/an clós. srl..
   (b) Ba mhaith liom leabhar/camán/ríomhaire a fháil. srl..
   (c) B'fhearr liom oráiste ná cóc/banana ná úll/iománaíocht ná peil/snúcar ná sacar. srl..
3. **Gearáin**
   A mhúinteoir, bhuail Seán mé. Rith Síle i mo dhiaidh sa chlós. Shrac Niamh mo leathanach. Scríobh Tomás ar mo leabhar. Thug Áine cor coise dom srl..
4. **Ráitis**
   Tá na suimeanna déanta agam. Tá bean ag an doras. Tá an bosca bruscair lán. Chaill mé mo pheann. Thit mé sa chlós. Rinne mé dearmad ar mo leabhar/rialóir, srl..
5. Lorgófar **cabhair na dtuismitheoirí.** Gríosófar iad chun an méid Gaeilge atá acu a úsáid lena bpáistí. Cuideoidh na ceisteanna agus na freagraí sa roinn Comhrá beirte/Comhrá baile i ngach ceacht leo, an aidhm seo a chomhlíonadh.

Bunófar, freisin, an chaint is an comhrá ar na téamaí atá aitheanta sa churaclam .i. Mé Féin, Sa Bhaile, An Scoil, Bia, srl..

Seo a leanas samplaí den raon comhrá a dhéanfar ar chúpla ceann de na téamaí úd.

1. **Bia**

   Cá n-itheann tú do bhricfeasta/do dhinnéar? Céard a itheann/ólann tú chun do bhricfeasta? An itheann tú ubh/calóga arbhair/ispíní? srl.. Céard a ólann tú chun do bhricfeasta/chun do dhinnéir? An mbíonn tart ort tar éis do bhricfeasta/tar éis do dhinnéir? srl.. An níonn/dtriomaíonn tú na cupáin/na plátaí/na sceana/na spúnóga/na foirc? srl..

2. **An Teilifís**

   An raibh tú ag féachaint ar an teilifís aréir? An bhfaca tú cartún/clár dúlra/clár spóirt/gallúnra (gallúntraí)? srl.. An raibh an clár leadránach/go huafásach/go maith/ar fheabhas? Ar thaitin sé leat?

   Múinfear seanfhocail, tomhais is rabhlóga freisin. Déanfar gach iarracht ar an bhfoclóir a úsáidfear iontu a bheith ag teacht le foclóir eispéiris is aoise an dalta.

   (1) **Seanfhocail**

   1. Tosach maith leath na hoibre.
   2. Ní thagann ciall roimh aois.
   3. Is fearr obair ná caint. srl..

   (2) **Tomhais**

   1. Cén fáth nár tharraing an sioráf an carr?
   2. Cén fáth nach raibh na buataisí ag caint leis na bróga?
   3. Téim a chodladh le mo bhróga orm? Cé mise? srl..

(3) **Rabhlóga**

1. Rith an tíogar l*ái*dir roimh an leon ramhar tríd an gcoill.
2. Is fur*a*sta scragall stáin a shracadh trasna. srl..

## Léitheoireacht

Maidir leis an léitheoireacht tabharfar taithí dóibh ar an bhfocal scríofa a fheiceáil ina dtimpeallacht - lipéid ar throscán, rialacha srl.. m.sh. doirteal, ríomhaire, dlúthdhiosca, léarscáil, féilire – Glan do bhróga, Nígh do lámha, Coimeád an t-urlár glan, srl..

Is iad seo a leanas na téamaí agus teidil na scéalta a fhreastalaíonn orthu maille leis na pointí gramadaí atá faoi chúram an leabhair *Inis Dom 5*.

1. **Mé Féin**

   (a) **Tráthnóna Inné**
   Aimsir Chaite: Na briathra 'Glan', 'Fág' – an fhoirm dhearfach/dhiúltach/cheisteach.
   Na hAidiachtaí Sealbhacha: mo, do, a

   (b) **Cuairt ar an nGruagaire**
   Aimsir Chaite: Na briathra 'Cuir', 'Rith' – an fhoirm dhearfach/dhiúltach/cheisteach.

2. **Sa Bhaile**

   (a) **Mo Chol Ceathar**
   Aimsir Chaite: Na briathra 'Ceannaigh', 'Imigh' – an fhoirm dhearfach/dhiúltach/cheisteach.
   Céimeanna Comparáide na hAidiachta: mear, níos mire, srl..

   (b) **Seán agus a Chat**
   Na Bunuimhreacha: aon chat amháin . . . deich gcat, seacht n-uan srl..
   **Dul Siar**: **Scéal** – Seán agus a Chol Ceathar
   **Dráma** – Madra Chiara

3. **An Scoil**
   (a) **Ciara agus a Peata Luchín**
   An Forainm Réamhfhoclach 'ag' – agam, agat, aige, srl..
   Na hUimhreacha Pearsanta: aon chailín amháin . . . deichniúr cailíní srl..
   (b) **Timpiste sa Chlós**
   An Forainm Réamhfhoclach 'ar' – orm, ort, air, srl..
   An t-Am: a cúig, cúig tar éis, a cúig chun a deich/ tar éis, srl..
4. **Bia**
   (a) **Ag Ní na nGréithe**
   An Forainm Réamhfhoclach 'le' – liom, leat, leis srl..
   (b) **An Smólach sa Ghairdín**
   An Forainm Réamhfhoclach 'chun' – chugam, chugat, srl..
   **Dul Siar**: **Scéal** – Nead an Cholúir
   **Dráma** – An Níochán
5. **An Teilifís**: **Aréir**
   Aimsir Fháistineach: Na briathra 'Glan', 'Ól' – an fhoirm dhearfach/dhiúltach/cheisteach
   Laethanta na Seachtaine: Dé Luain, Dé Máirt, Dé Céadaoin, srl..
6. **Ócáid Speisialta: Lá Nollag**
   Aimsir Fháistineach: Na Briathra 'Cuir', 'Nigh' – an fhoirm dhearfach/dhiúltach/cheisteach
7. **Ag Siopadóireacht**
   (a) **Cuairt ar an Siopa Físeán**
   Aimsir Fháistineach: Na briathra 'Ceannaigh', 'Éirigh' – an fhoirm dhearfach/dhiúltach/cheisteach
   (b) **Ciara ag Siopadóireacht**
   An Forainm Réamhfhoclach 'do' – dom, duit, dó, di, srl..
   **Dul Siar**: **Scéal** – Ciara agus an tUachtar Reoite
   **Dráma** – An Clár Teilifíse

8. **An Aimsir**:
   (a) **An Bhláthcheapach**
   An Forainm Réamhfhoclach 'de' – díom, díot, de, di, srl..
   Na hOrduimhreacha: an chéad chailín . . . an deichiú cailín.
   (b) **An Stoirm**
   An Forainm Réamhfhoclach 'as' – asam, asat, as srl..
9. **Éadaí**: **Comórtas Bréagéadaigh (Breagéide)**
   An Forainm Réamhfhoclach 'roimh' – romham, romhat, srl..
10. **Ócáidí Speisialta**: **Lá 'le Pádraig**
   An Forainm Réamhfhoclach 'faoi' – fúm, fút, faoi, srl..
   Na Réimíreanna Aidiachtacha: an-díreach, an-cham, srl..
   **Dul Siar**: **Scéal** – Daidí Bocht
   **Dráma** – Glao Gutháin
11. **Caitheamh Aimsire**:
   (a) **Imríonn Síle Camógaíocht**
   An Aimsir Láithreach: Na briathra 'Dún', 'Ól' – an fhoirm dhearfach/dhiúltach/cheisteach.
   (b) **Imríonn Ciara Leadóg**
   An Aimsir Láithreach: Na briathra 'Cuir', 'Nigh' – an fhoirm dhearfach/dhiúltach/cheisteach
   Na hAidiachtaí Sealbhacha: 'ár', 'bhur'
12. **Ócáidí Speisialta**
   (a) **Turas Scoile** – Fóta
   An Aimsir Láithreach: Na briathra 'Ceannaigh', 'Éirigh' – an fhoirm dhearfach/dhiúltach/cheisteach
   (b) **An Cheolchoirm**
   An Forainm Réamhfhoclach 'ó' – uaim, uait, uaidh srl..
   Céimeanna Comparáide na hAidiachta: bunchéim, breischéim is sárchéim: mór – níos mó – is mó; beag – níos lú – is lú, srl..

**Dul Siar**: **Scéal** – Cúchulainn
**Dráma** – Turas Scoile

13. **Na Briathra Neamhrialta:** An fhoirm dhearfach/ dhiúltach
Beidh leabhair bhreise léitheoireachta sa leabharlann. Léifidh an t-oide scéalta astu don rang. Gríosófar na daltaí a roghnú féin a dhéanamh agus gabháil don léamh taoitheaneach.

*Filíocht*

Tá na dánta atá faoi chúram an leabhair *Inis Dom 5* ar an dlúthchéirnín.

Déanfar iarracht ar chuid de na dánta seo a fhoghlaim de ghlanmheabhair.

1. Sonia
2. An Deireadh Seachtaine (Éamonn Ó Riordáin)
3. Litir ón Afraic
4. Teilifís (Éamonn Ó Riordáin)
5. Gairdín Pháidín (Áine Ní Ghlinn)
6. An Geimhreadh
7. Cois na Farraige (Micheál Ó Donncha)

## Scríbhneoireacht

Tabharfaidh na daltaí faoi chleachtaí oiriúnacha scríbhneoireachta a bheidh bunaithe ar ábhar éisteachta, cainte is léitheoireachta. Iarrfar ar na daltaí pictiúir a tharraingt agus ceisteanna a fhreagairt a dhéanfaidh measúnú ar a gcuid eolais ar fhoclóir na n-ábhar atá faoi chúram na scéime, ar na briathra, ar na forainmneacha réamhfhoclacha, ar na huimhreacha, srl..

Seo a leanas na cleachtaí scríbhneoireachta atá faoi chúram an leabhair *Inis Dom 5*.

1. Ceisteanna ar scéal a fhreagairt.
2. Cleachtaí ar phointí gramadaí a scríobh.
3. Difríochtaí a aimsiú.
4. Focail a chiorclú.
5. Frásaí a chur in abairtí.
6. Focail agus uimhreacha a chur in abairtí.
7. Scéalta a scríobh.
8. Bearnaí a líonadh.
9. Focail a chur in ord.
10. Abairtí a chur in ord.
11. Botúin a aimsiú.
12. Crosfhocail a líonadh.
13. Cód a bhriseadh agus an freagra a scríobh.
14. Sraith phictiúr a chríochnú agus scéal a scríobh ar an tsraith phictiúr chéanna.

## SCÉIM BHLIANA RANG 6

Tá ábhar agus sonraí na scéime seo dírithe ar iarracht a dhéanamh ar aidhmeanna agus chuspóirí an churaclaim a chomhlíonadh.

Go ginearálta, is iad príomhaidhmeanna agus príomh-chuspóirí an churaclaim sin ná:

1. Go mbeadh sé ar chumas an dalta **a riachtanais** féin a chur in iúl i slí go dtuigfí é/í m.sh. Tá mé ró-the – An bhfuil cead agam an fhuinneog a oscailt? An osclóidh mé an doras le do thoil? srl..
2. Go mbeadh an páiste in ann **páirt ghníomhach** a ghlacadh i réiteach tascanna éisteachta .i. treoracha a leanúint. m.sh. Tarraing bean ina suí ar an taobh deas den seomra agus í ag léamh an pháipéir. Cuir spéaclaí uirthi. srl..
3. Go gcloífeadh an t-ábhar comhra, éisteachta, léitheoireachta agus scríbhneoireachta le **saol an dalta,** sé sin, leis na téamaí atá aitheanta i gCuraclam na Gaeilge: Mé Féin, Sa Bhaile, Ar Scoil, Teilifís, Bia, Éadaí, An Aimsir, srl..
4. Go mbeadh sé ar chumas an pháiste **an Ghaeilge a úsáid** sa seomra ranga, sa dorchla, sa halla nó sa chlós. m.sh. An dtabharfaidh tú criáin dom, led' thoil? An nglanfaidh mé an clár dubh? Tá na ceisteanna nach mór déanta agam. srl..
5. Go mbeadh **foclóir sásúil** ag an dalta a chuideodh leis/léi comhrá a dhéanamh ar aon cheann de na téamaí atá aitheanta sa churaclam, m.sh. Ócáid Speisialta – Cluiche – Ardán Uí Ógáin, Páirc an Chrócaigh, réiteoir, leathchúlaí, srl..
6. Go mbeadh an dalta in ann **a m(h)ianta** agus **a m(h)othúcháin** a nochtadh, m.sh. Ba mhaith liom cluiche eitpheile/cispheile/ríomhaire a imirt. Bhí náire/ionadh orm srl..

7. Go mbeadh an dalta in ann **páirt a ghlacadh** i ndrámaí m.sh. rólanna na gcarachtar sna cleachtaí éagsúla agus go háirithe sna drámaí in *Inis Dom 6* a ghlacadh chuige/chuici féin.
8. Go mbeadh an dalta in ann **tomhais** a chur agus a fhreagairt, **rabhlóga** is **seanfhocail** a rá agus an cluiche 'Caith an Dísle' a imirt.
9. Go mbeadh sé ar chumas an dalta scéalta taitneamhacha **a léamh** agus go mbeadh eolas aige/aici **ar bhunrialacha gramadaí**.
10. Go mbeadh na daltaí in ann **comhoibriú lena chéile** chun cleachtaí a dhéanamh, ceisteanna a fhreagairt, aistí gairide a scríobh, srl..
11. Go ndéanfaí gach iarracht ar an gceacht Gaeilge a dhéanamh chomh **taitneamhach** agus is féidir agus go molfaí na páistí arís is arís, fiú amháin má dhéanann siad botúin.

## NA TÉAMAÍ

Seo iad a leanas na téamaí atá faoi chúram na scéime seo, ar a bhfuil an leabhar *Inis Dom 6* bunaithe.

1. Mé Féin – Cuairt ar an bhFiaclóir, Peannchara.
2. Sa Bhaile – An Teach Nua.
3. Cluiche Peile a Chonaic Mé – Ócáid Speisialta
4. An Scoil – Na Cuairteoirí
5. Oíche Shamhna – Ócáid Speisialta
6. Bia – Sailéad a d'Ullmhaigh Mé, Bearbaiciú
7. An Teilifís – Sa Stiúideo
8. An Chéad Nollaig – Ócáid Speisialta
9. Ag Siopadóireacht – An Sladmhargadh
10. Turas go dtí an Ghaillimh – Ócáid Speisialta
11. Caitheamh Aimsire – Bronntanas
12. An Aimsir – An Ghráinneog agus an tEarrach, Cuairt ar an bhFeirm

13. Ócáid Speisialta – Timpiste
14. Éadaí - Culaith Nua, An Garda
15. Ócáidí Speisialta – Litir ón nGaeltacht, Turas Scoile

Bainfear úsáid as pictiúir, scéalta, póstaeir, dánta, drámaí, amhráin, cleachtaí agus tascanna éisteachta i múineadh ábhar na dtéamaí úd.

Tá an scéim faoi réir na gceithre rann atá ríthábhachtach i múineadh na teanga. Is iad na ranna sin: Éisteacht, Labhairt, Léitheoireacht agus Scríbhneoireacht.

## Éisteacht

Beidh an Ghaeilge á húsáid chomh minic agus is féidir mar theanga chaidrimh is bhainisteoireachta sa rang, sa dorchla, sa chlós srl.. In aon suíomh ranga, tabharfar orduithe, beannachtaí agus moltaí. Léireofar béasa, ainmneofar rudaí agus cuirfear ceisteanna. Seo réimse beag den fhoclóir a bheidh ag gabháil leis na ranna úd.

1. **Orduithe**: Tosaígí ag scríobh. Cuirigí isteach na leabhair/na cóipleabhair. Brostaígí! Bígí cúramach! Siúlaigí i mbeirteanna/i líne dhíreach. Tarraing anuas an dallóg/na dallóga. Múch na soilse, srl..
2. **Beannachtaí agus Béasa**: Dia duit! Dia 's Muire duit! Lá breithe sona duit/Bail ó Dhia ort! Fáilte romhat! Nollaig shona duit! Athbhliain nua faoi shéan is faoi mhaise duit! Go maire tú is go gcaithe tú é! Gabh mo leithscéal! Tá brón orm, srl..
3. **Focail Mholta**: Go maith. Go han-mhaith. Sin pictiúr álainn. Sin an-iarracht, gan dabht ar domhan. Mo cheol thú! Nár laga Dia thú! Thar barr! Togha cailín! Togha fir! srl..
4. **Ainmneofar** rudaí i dtimpeallacht an dalta m.sh. Ag siopadóireacht – ionad siopadóireachta, sladmhargadh,

scuaine, ciarsúir, léinte, fobhrístí, garda siopa (slándála), siúl scéalaí, staighre creasa, srl..

5. **Ceisteanna**: Beidh réimse mór ceisteanna á chur ag an múinteoir gach lá, ceisteanna a mbeidh baint acu le saol agus le hobair an dalta sa rang agus lasmuigh de m.sh. An dtuigeann tú an focal/an fhadhb sin? Cén fáth nach raibh tú ar scoil inné? Inis dom faoin gclár teilifíse a chonaic tú aréir.
6. Déanfar aire an pháiste a dhíriú **ar ghnéithe áirithe** den éisteacht agus gríosófar é/í lena t(h)uiscint a léiriú ar bhealaí éagsúla, cuir i gcás,
   (a) **Pictiúr a tharraingt**. m.sh. Féach ar an bpictiúr ar lch 5. Cuir leabhair agus greannán ar an mbord. Cuir clog ar an mballa agus cuir isteach an t-am.
   (b) **Treoracha a leanúint**: m.sh. Féach ar an bpictiúr ar lch 15. Tarraing siopa milseán ar an taobh clé den Bhóthar Bán. Tarraing madra ag rith trasna an chrosaire, srl..
   (c) **Fírinneacht nó bréige ráitis a aithint**: Éistfear le scéal ar an dlúthchéirnín agus iarrfar ar na daltaí 'ceart' nó 'mícheart', a scríobh i ndiaidh abairtí, m.sh. lch 57, ceist a cúig, 'Chuaigh an banna ceoil abhaile sa bhus', ceart nó mícheart?
   (d) **Ceisteanna a fhreagairt agus a scríobh**: Éistfear le scéal ar an dlúthchéirnín agus iarrfar ar na daltaí ceisteanna a fhreagairt ar a gcóipleabhair m.sh. lch 68, *Inis Dom 6*, ceist 5. Cá raibh Daideo ag siúl? srl..

*Filíocht*

Tá na dánta atá faoi chúram an leabhair *Inis Dom 6* ar an dlúthchéirnín freisin.

Déanfar iarracht ar chuid de na dánta seo a fhoghlaim de ghlanmheabhair.

1. An Iomáint (Seán Ó Finneadha)
2. Cuairteoirí (Seán Ó hEachthigheirn)
3. B'fhearr Liomsa (Éamonn Ó Ríordáin)
4. An Bosca
5. Aire
6. Ag Críost an Síol (Mícheál Ó Síocháin)
7. Cois Farraige (Seán Ó Muimhneacháin)
8. An Ghaoth
9. An tAmhrán Náisiúnta

## Labhairt

Maidir le labhairt na teanga úsáidfear an Ghaeilge go neamhfhoirmiúil i rith an lae. Sa rang, déanfar iarracht ar an bpáiste a mhealladh chun a achainíocha, a mhianta, a ghearáin agus ráitis a rá as Gaeilge. Déanfar dul siar freisin ar a bhfuil foghlamtha go nuige seo.

1. **Achainíocha**
   A mhúinteoir, an osclóidh/ndúnfaidh mé an doras/an fhuinneog? An bhfuil cead agam na dallóga a tharraingt? An dtabharfaidh tú criáin/glaethéip/rialóir dom le do thoil? Tá bioróir/scriosán ag teastáil uaim le do thoil. An lasfaidh/múchfaidh mé an solas le do thoil? Conas a litreofá an focal . . .? Conas a dhéanfá an tsuim seo? srl..
2. **Mianta**
   Ba mhaith liom dul go dtí an cluiche i bPáirc an Chrócaigh. Ba mhaith liom dul go dtí an Rúis/go Meiriceá. B'fhearr liom borróga ná milseáin/oráistí ná piorraí. Ba mhaith liom cluiche ríomhaire/dlúthdhiosca a fháil, srl..
3. **Gearáin**
   Thug Seán leasainm orm. Thug Liam cor coise dom. Chaith Colm seile liom. Bhain Nóra liomóg asam. Tharraing Tomás mo chuid gruaige. Thug Síle sonc dom.

Sháigh Mícheál mé. Tá Áine ag cur isteach orm. srl..

4. **Ráitis**

Bhí mé breoite. Bhí slaghdán orm. Tá cnag ar an doras. Chaill mé euro/mo bhioróir. Rinne mé dearmad ar an aiste a scríobh/ar mo leabhar Béarla. Tá sé leathuair/ceathrú tar éis a deich. Tá na suimeanna nach mór déanta agam. Tá na criáin nach mór bailithe agam. Theip orm an fhuinneog a oscailt/a dhúnadh.

Tá feidhmeanna tábhachtacha teanga eile ann chomh maith leis na cinn atá luaite go dtí seo. 'Siad na cinn is tábhachtaí ná comhrá sóisialta, dearcadh agus eolas a thabhairt is a lorg, struchtúr comhrá srl.. Tabharfar faoi eiseamláirí na bhfeidhmeanna teanga úd i rith na bliana, m.sh.

(i) Slán abhaile! Go n-éirí an bóthar leat! Conas tá tú? srl..
(ii) Is dóigh liom go bhfuil sé fuar/te. Táim cinnte go bhfuil sé sa bhaile. Ní maith liom féachaint ar chartúin, srl..
(iii) Cathain? Cén t-am? Meas tú? Cén sórt? Cén saghas? srl..
(iv) Tar éis tamaill, Ansin, Nuair, Ar dtús, Níorbh fhada srl..

5. Lorgófar **cabhair na dtuismitheoirí.** Gríosófar iad chun an méid Gaeilge atá acu a úsáid lena bpáistí. Cuideoidh na ceisteanna agus na freagraí sa roinn Comhrá beirte/Comhrá baile i ngach ceacht leo, an aidhm seo a chomhlíonadh.

Múinfear seanfhocail, tomhais is rabhlóga, freisin. Déanfar gach iarracht ar an bhfoclóir a úsáidfear iontu a bheith ag teacht le foclóir eispéiris is aoise an dalta.

1. **Seanfhocail**

Níl aon tinteán mar do thinteán féin.

Is maith an t-anlann an t-ocras.
Is fearr rith maith ná drochsheasamh srl..

2. **Tomhais**
   Rith sé isteach san uisce liom ach níor éirigh sé fliuch. Cad é?
   Siúlann tú ina diaidh i gcónaí ach ní féidir leat breith uirthi. Cad é? srl..
3. **Rabhlóga**
   Tugann Fiachra an fiaclóir instealladh sa drandal le steallaire.
   Cheannaigh Ciara chineálta carbhat do Chiarán cliste srl..

## Léitheoireacht

Maidir leis an léitheoireacht tabharfar taithí dóibh ar an bhfocal scríofa a fheiceáil ina dtimpeallacht – lipéid ar throscán, rialacha srl.. – plocóid, lasc (switch), radaitheoir, dallóg, ag scimeáil ar an idirlíon (surfing the internet), monatóir (monitor), Glanaigí na bróga, Siúlaigí go ciúin.

Is iad seo a leanas na téamaí agus teidil na scéalta a fhreastalaíonn orthu maille leis na pointí gramadaí atá faoi chúram an leabhair *Inis Dom 6*.

1. **Mé Féin**:
   (a) **Cuairt a Thug Mé ar an bhFiaclóir**
   Na Briathra 'Dún' agus 'Fág' san Aimsir Chaite agus Fháistineach – An fhoirm dhearfach, dhiúltach agus cheisteach
   Céimeanna Ionannais na hAidiachta: chomh bán le sneachta, chomh dubh le gual, chomh milis le mil, srl..
   (b) **Peannchara**
   Na Briathra 'Cuir' agus 'Nigh' san Aimsir Chaite agus Fháistineach – An fhoirm dhearfach, dhiúltach agus cheisteach.

Na Bunuimhreacha Neamhphearsanta: aon – fiche

2. **Sa Bhaile**: **An Teach Nua**
   Na Briathra 'Ceannaigh' agus 'Éirigh' san Aimsir Chaite agus Fháistineach – An fhoirm dhearfach/dhiúltach agus cheisteach. Na hUimhreacha Pearsanta.
3. **Ócáid Speisialta**: **Cluiche Peile a Chonaic Mé**
   Na Briathra 'Dún', 'Cuir', 'Ceannaigh' san Aimsir Láithreach – an fhoirm dhearfach, dhiúltach agus cheisteach.
4. **Dul Siar**: **Scéal** – An Sionnach agus na Dreancaidí
   **Dráma** – An Cluiche
5. **An Scoil**: **Na Cuairteoirí**
   An Briathar 'Téigh' san Aimsir Chaite, Láithreach agus Fháistineach – dearfach/diúltach/ceisteach.
   An tAm: a cúig tar éis/a cúig chun/a deich tar éis, srl..
6. **Ócáid Speisialta**: **Oíche Shamhna**
   An Briathar 'Tar' san Aimsir Chaite, Láithreach agus Fháistineach.
   An Réamhfhocal 'ag'. An Forainm Réamhfhoclach: agam, agat, srl..
7. **Bia**
   (a) **D'ullmhaigh mé Sailéad**
   An Briathar Neamhrialta 'Ith' san Aimsir Chaite, Láithreach agus Fháistineach – dearfach, diúltach agus ceisteach.
   An Réamhfhocal 'ar'. An Forainm Réamhfhoclach: orm, ort, air srl..
   (b) **Bearbaiciú**
   An Briathar Neamhrialta 'Déan' san Aimsir Chaite, Láithreach agus Fháistineach.
   An Réamhfhocal 'le'. An Forainm Réamhfhoclach: liom, leat srl..
8. **Dul Siar**: **Scéal** – Odysseus agus Polyphemus
   **Dráma** – Sa Siopa Grósaera

9. **An Teilifís**: **Sa Stiúideo**
   An Briathar Neamhrialta 'Clois' san Aimsir Chaite, Láithreach agus Fháistineach – dearfach, diúltach agus ceisteach.
   An Réamhfhocal 'do'. An Forainm Réamhfhoclach: dom, duit, srl..
10. **Ócáid Speisialta**: **An Chéad Nollaig**
    An Briathar Neamhrialta 'Beir' san Aimsir Chaite, Láithreach agus Fháistineach – dearfach, diúltach agus ceisteach.
    An Réamhfhocal 'as'. An Forainm Réamhfhoclach: asam, asat, srl..
11. **Ag Siopadóireacht**
    (a) **An Sladmhargadh**
    An Briathar Neamhrialta 'Tabhair' san Aimsir Chaite, Láithreach agus Fháistineach – dearfach, diúltach agus ceisteach.
    An Réamhfhocal 'de'. An Forainm Réamhfhoclach: díom, díot, srl..
12. **Ócáid Speisialta**: **Turas go dtí an Ghaillimh**
    An Briathar Neamhrialta 'Bí' san Aimsir Chaite, Láithreach agus Fháistineach – dearfach, diúltach agus ceisteach.
    An Réamhfhocal 'ó'. An Forainm Réamhfhoclach: uaim, uait, srl..
13. **Dul Siar**: **Scéal** – Rí na nÉan
    **Dráma** – Ag Stáisiún na Traenach
14. **Caitheamh Aimsire:** Bronntanas
    An Briathar Neamhrialta 'Faigh' san Aimsir Chaite, Láithreach agus Fháistineach – dearfach, diúltach agus ceisteach.
    An Réamhfhocal 'faoi'. An Forainm Réamhfhoclach: fúm, fút, faoi, srl..
15. **An Aimsir**
    (a) **An Ghráinneog agus an tEarrach**

An Briathar Neamhrialta 'Abair' san Aimsir Chaite, Láithreach agus Fháistineach – dearfach, diúltach agus ceisteach.
Claoninsint san Aimsir Chaite. An tAinm Briathartha: ag rith srl..

(b) **Cuairt ar an bhFeirm**
An Briathar Neamhrialta 'Feic' san Aimsir Chaite, Láithreach agus Fháistineach – dearfach, diúltach agus ceisteach.
Na hAidiachtaí Sealbhacha – i mo chodladh, i do chodladh srl..

16. **Ócáid Speisialta**: **Timpiste**
Treo – suas, síos, thuas, aníos, ag dul suas, srl..
Na hOrduimhreacha – An chéad chéim, an dara céim, srl..

17. **Dul Siar**: **Scéal** – Bhí an tÁdh le Treasa
**Dráma** – San Ospidéal

18. **Éadaí**
(a) **Culaith Nua**
Na Briathra 'Glan' agus 'Ól' sa Mhodh Coinníollach.
(b) **An Garda**
Na Briathra 'Cuir' agus 'Nigh' sa Mhodh Coinníollach.
An Réamhfhocal 'roimh'. An Forainm Réamhfhoclach: romham, romhat, srl..

19. **Ócáid Speisialta:**
(a) Litir
(b) Cárta Poist
Na Briathra 'Ceannaigh' agus 'Éirigh' sa Mhodh Coinníollach.
An Réamhfhocal 'chun'. An Forainm Réamhfhoclach: chugam, chugat, chuige, srl..

20. **Ócáid Speisialta**: Turas Scoile
Treo – theas, thuaidh, soir, siar, ag dul ó dheas/ó thuaidh, srl..

Céimeanna 'comparáide' na hAidiachta – Bunchéim, breischéim, is sárchéim – fada, níos faide, is faide, srl..

21. **Dul Siar**: **Scéal** – Pól agus an Leipreachán
    **Dráma** – Ag Dul ar Saoire
22. **Na Díochlaontaí**

## Scríbhneoireacht

Beidh na cleachtaí scríbhneoireachta bunaithe ar ábhar éisteachta, cainte is léitheoireachta. Iarrfar ar na daltaí pictiúir a tharraingt, ceisteanna a fhreagairt, aistí a scríobh agus a chríochnú, bearnaí a líonadh srl. a dhéanfaidh measúnú ar a gcuid eolais ar fhoclóir na n-ábhar atá faoi churam na scéime, m.sh. pictiúr a tharraingt. Lch 20 Ceist 4(b). Tarraing agus dathaigh an pictiúr seo a leanas.

Lá breá grianmhar a bhí ann. Bhí an sliotar ar an bhféar. Bhí Ciarán ina sheasamh in aice leis. Bhí sé chun poc pionóis a thógáil. Bhí an cúl báire sa chúl. Bhí an lánchúlaí deas ar an taobh deas de agus bhí an lánchulaí clé ar an taobh clé de. Bhí geansaí buí agus gorm ar Chiarán. Bhí geansaí oráiste ar an gcúl báire. Bhí bratach ghlas ar thaobh amháin den chúl agus bhí bratach bhán ar an taobh eile.

Go ginearálta, seo a leanas na cleachtaí scríbhneoireachta atá faoi chúram an leabhair *Inis Dom 6*.

1. Ceisteanna ar scéal a fhreagairt.
2. Abairtí a scríobh gan lúibíní.
3. Bearnaí a líonadh.
4. Focail a chur ar uimhreacha agus iad a chur in abairtí.
5. Scéalta a scríobh.
6. Giotaí a chur san Aimsir Chaite, Láithreach agus Fháistineach.
7. Cóid a bhriseadh agus na freagraí a scríobh.
8. Difríochtaí a aimsiú.

8. Fírinneacht, nó bréige ráitis a aithint – 'fíor' nó 'bréagach', 'ceart' nó mícheart' a scríobh.
10. Focail a chiorclú.
11. Dialann Bhéilí a scríobh.
12. Crosfhocal a líonadh isteach.
13. Botúin a aimsiú.
14. Litir agus Cárta Poist.
15. Sraith phictiúr a chríochnú agus scéal a scríobh ar an tsraith phictiúr chéanna.

# INIS DOM 1: CD

## RIAN 1: LEATHANACH A DÓ

Tasc éisteachta. Tóg suas do pheann luaidhe. (P) Féach ar an gcéad phictiúr. (P)
Is mise Ricí. Tarraing mo chluasa agus mo lámha. (P) Ansin scríobh m'ainm. (P) Scríobh na focail 'cluas' agus 'lámh', freisin. (P)

*Anois, cloisfidh tú an giota arís.*

Anois, féach ar an dara pictiúr agus éist liom:

Is mise Licí. Cuir mo shúile agus mo shrón orm. (P) Ansin tarraing mo chosa. (P) Anois scríobh m'ainm. (P) Ansin scríobh na focail 'srón' agus 'cos'. (P)

*Anois, cloisfidh tú an giota arís.*

## RIAN 2: LEATHANACH A TRÍ

Éist leis an dán.

**An Liathróid**

Tá liathróid ag Rúfaí
Atá buí agus donn,
Is fearr leis í
Ná aon rud ar domhan.

Buaileann sé í,
Suas suas san aer,
Is titeann sí anuas,
Anuas ón spéir.

Anois, faigh do chriáin. Cuir dath buí agus donn ar an liathróid. (P) Ansin cuir bláth eile sa pháirc (P) agus milseán eile ar an ruga. (P) Dathaigh an pictiúr anois. (P)

*Éist agus cloisfidh tú an giota arís.*

## Rian 3: Féach ar na pictiúir ar leathanach a ceathair agus éist leis an scéal.

### Rici Bocht

Bhí Rúfaí sa pháirc. Bhí liathróid aige. Thug sé cic don liathróid. Chuaigh an liathróid suas, suas san aer. Ansin thit sí anuas, anuas ón spéir. Bhí Ricí ag siúl sa pháirc. Bhuail an liathróid a chluasa.
'Ó-Ó-Ó-Ó,' arsa Ricí. 'Tá mo chluasa an-tinn,' agus thosaigh sé ag caoineadh. Tháinig Fífí isteach sa pháirc. Chuala sí Ricí ag caoineadh.
'Cén fáth a bhfuil tú ag caoineadh?' arsa Fífí.
'Ó-Ó-Ó-Ó,' arsa Ricí. 'Bhuail Rúfaí an liathróid suas, suas san aer. Ansin thit sí anuas, anuas ón spéir agus bhuail sí mo chluasa. Tá siad an-tinn anois,' agus thosaigh sé ag caoineadh arís.
Thug Fífí milseán do Ricí. Stop Ricí den chaoineadh. 'Go raibh maith agat,' arsa Ricí. 'Níl mo chluasa tinn anois.'

## Rian 4: Leathanach a Cúig

Éist leis an dán.

**Dúisigh**

Dúisigh! a Phóil,
Dúisigh! a chroí;
Tá Mamaí ag glaoch —
An gcloiseann tú í?

Éirigh! a Phóil,
Éirigh! a chroí;
Léim as an leaba
Is bí id' shuí.

## Rian 5: Leathanach a Sé

Féach ar an gcéad phictiúr. Seo leaba. Ceangail na poncanna. (P) Cuir dath buí ar an leaba. (P) Scríobh an focal 'leaba'. (P) Anois, féach ar an dara pictiúr. Tá cathaoir anseo. Ceangail na poncanna. (P) Cuir dath donn ar an gcathaoir. (P) Scríobh an focal 'cathaoir'. (P) Lampa is ea an tríú pictiúr. Ceangail na poncanna. (P) Cuir dath dearg ar an lampa. (P) Ansin scríobh an focal 'lampa'. (P)

*Anois cloisfidh tú an giota arís.*

## Rian 6: Leathanach a Hocht

Tá ceithre phictiúr ar an leathanach seo. Cuir do mhéar ar an seampú. (P) Cuir do mhéar ar an gcíor ghruaige. (P) Anois, cuir do mhéar ar an tuáille. (P) Faigh do pheann luaidhe agus do chriáin. Ceangail na poncanna, dathaigh agus scríobh. (P) Tá pictiúr de bhord ag bun an leathanaigh. Cuir cíor ghruaige agus seampú ar an mbord anois. (P)

*Anois, cloisfidh tú an giota arís.*

## Rian 7: Féach ar na pictiúir ar leathanach a naoi agus éist leis an scéal.

### Bhí Fífí Crosta

Chuaigh Licí isteach sa seomra folctha. Dhún sí an doras. Chuir sí uisce sa bháisín. Thosaigh sí ag ní a cluas. Chaith sí uisce ar a haghaidh. Chaith sí uisce ar a cluasa agus chaith sí uisce ar a súile. Ach chaith sí uisce ar an urlár freisin. Chaith sí uisce ar an mata agus chaith sí uisce ar an mballa. Tháinig Fífí isteach sa seomra folctha. Bhí uisce ar an urlár. Bhí uisce ar an mata agus bhí uisce ar an mballa. Bhí Fífí crosta. Bhí sí an-chrosta.
'Féach,' arsa Fífí, 'tá uisce ar an urlár, ar an mata agus ar an mballa.'
'Gabh mo leithscéal,' arsa Licí.
'Anois,' arsa Fífí, 'faigh an tuáille agus glan an t-urlár agus an balla.'
Fuair Licí an tuáille agus ghlan sí an t-urlár agus an balla.
'Go raibh maith agat, a Licí,' arsa Fífí, 'tá tú go han-mhaith ar fad.'

## Rian 8: Leathanach a trí déag

Féach ar na pictiúir agus éist leis an scéal.

### Breithlá Aoife

Shiúil Aoife abhaile ón scoil inné. Tháinig sí go dtí a teach. Chonaic sí balúin ar an ngeata. Chonaic sí balúin ar an gcrann. Chonaic sí balúin ar an doras. Bhí áthas ar Aoife. 'Mo bhreithlá atá ann,' ar sise. Rith sí isteach an doras. Bhí Mamaí, Pól, Nóra agus Fífí sa seomra.
'Lá breithe sona duit,' arsa gach duine.
Bhí áthas ar Aoife.
'Seo dhuit do bhronntanas,' arsa Mamaí agus thug sí rothar di.

'Go raibh maith agat, a Mhamaí,' arsa Aoife.
'Seo dhuit do bhronntanas,' arsa Pól agus thug sé druma di.
'Go raibh maith agat, a Phóil,' arsa Aoife.
'Seo dhuit do bhronntanas,' arsa Fífí agus thug sí fáinne di.
'Go raibh maith agat, a Fhífí,' arsa Aoife.
'Seo dhuit do bhronntanas,' arsa Nóra agus thug sí puipéad di.
'Go raibh maith agat, a Nóra,' arsa Aoife agus thug sí póg di. Bhí féasta ag Aoife ansin. Bhí áthas mór ar Aoife an lá sin.

## Rian 9: leathanach a ceathair déag

Éist leis an dán.

**Breithlá Rúfaí**

Bhí féasta ag Rúfaí
Tráthnóna inné,
Tháinig na lucha
Is tháinig an ghé.

'Lá breithe sona duit'
Os ard ars' an ghé;
Seo dhuit do bhronntanas,
Is oscail anois é.

D'oscail Rúfaí an bronntanas
Is cad é a bhí ann,
Ach ríomhaire mór deas
A tháinig díreach in am.

Tasc éisteachta. Tarraing pictiúr den ríomhaire i lámha na gé agus scríobh an focal 'ríomhaire'. (P) Cuir bronntanais i lámha Ricí agus Licí. (P) Anois dathaigh an pictiúr. (P)

*Anois, cloisfidh tú an giota arís.*

## RIAN 10: LEATHANACH A SÉ DÉAG

Féach ar na pictiúir agus éist leis an scéal.

### Rúfaí – an Rógaire

Bhí sé a dó a chlog. Bhí Pól agus Rúfaí sa seomra. Bhí Aoife agus Nóra sa seomra. Bhí an múinteoir sa seomra freisin. Bhí Pól agus Rúfaí ag scríobh. Bhí Aoife agus Nóra ag léamh. Bhí an múinteoir ag scríobh. 'Tar amach, a Rúfaí,' arsa an múinteoir. 'Seo dhuit an chailc. Téigh go dtí an clár dubh agus tarraing pictiúr de Phól.'
Thóg Rúfaí an chailc ina lapa. Shiúil sé go dtí an clár dubh. Tharraing sé pictiúr de Phól air. Chuir sé súile air. Chuir sé srón air agus chuir sé béal air. Ansin thosaigh sé ag siúl go dtí a chathaoir.
'Ó féach, a Rúfaí,' arsa an múinteoir. 'Níor chuir tú a chluasa air.'
Shiúil Rúfaí go dtí an clár dubh arís. Thóg sé an chailc ina lapa. Tharraing sé cluasa Ricí ar Phól. Thosaigh gach páiste ag gáire. Thosaigh Pól ag gáire freisin. Shuigh Rúfaí ar a chathaoir.
'Ó, is rógaire ceart thú, a Rúfaí,' arsa Pól, agus é ag gáire is ag gáire.

## RIAN 11: LEATHANACH A SEACHT DÉAG

Éist leis an dán.

### Sa Chlós

Hurrá! páistí ag súgradh,
Ag rith is ag léim;
Hurrá! páistí ag damhsa,
Ag damhsa leo féin.

Tá múinteoir sa chlós,
Ag siúl is ag faire;
Cloiseann sí páistí
Ag caint is ag gáire.

Cá bhfuil Ricí is Licí?
Níl siad sa seomra,
Ó, féach! Tá siad sa chlós,
Ag spraoi is ag súgradh.

## RIAN 12: LEATHANACH A HOCHT DÉAG

Tóg peann luaidhe i do láimh. Tá dhá bhosca ar an leathanach. Tarraing pictiúr i mbosca a haon de Phól agus de Aoife ag damhsa i gclós na scoile. (P) Scríobh na focail 'ag damhsa'. (P) Tá an ghrian ag taitneamh sa spéir. Cuir an ghrian ag taitneamh sa spéir. (P) Faigh do chriáin ansin agus dathaigh an pictiúr. (P)

*Anois, cloisfidh tú an giota arís.*

I mbosca a dó, tarraing pictiúr de Rúfaí, de Ricí agus de Licí ag rith isteach sa scoil. (P) Tá sé ag cur fearthainne. Cuir isteach an fhearthainn ag titim. (P) Anois faigh do chriáin agus dathaigh an pictiúr. (P) Scríobh na focail 'ag rith'. (P)

*Anois, cloisfidh tú an giota arís.*

## RIAN 13: LEATHANACH A NAOI DÉAG

Éist leis an dán.

**Oíche Shamhna**
Oíche Shamhna! Oíche Shamhna!
Is maith liom go mór í;

Tá mo chairde sa teach
Ag caint is ag spraoi.

Bairín breac! Bairín breac!
Bairín breac ar an mbord;
Fuair mé an fáinne,
Is orm atá bród.

Bananaí is líomanáid,
Cnónna is oráiste,
Úlla is brioscaí,
Is breá liom an féasta.

**Rian 14: Féach ar leathanach a fiche agus éist leis an scéal.**

**Bhí Ocras ar Rúfaí**

Bhí sé ag cur fearthainne. Bhí Rúfaí sa seomra. Ní raibh áthas air. Bhí brón air mar bhí ocras air. Bhí ocras an domhain air. Tháinig Daidí isteach sa seomra. Bhí bairín breac ina láimh aige. Chuir sé an bairín breac ar an mbord. Ansin shiúil sé amach arís. Léim Rúfaí ar an gcathaoir. Ansin léim sé ar an mbord. Chuir sé a lapa ar an mbairín breac. Tháinig Daidí isteach sa seomra arís.
'Ná tóg an bairín breac,' arsa Daidí.
'Ach tá ocras orm,' arsa Rúfaí. 'Tá ocras an domhain orm,' agus thosaigh sé ag caoineadh.
Shiúil Daidí go dtí an cófra. D'oscail sé é. Fuair sé cnámh. Bhí feoil ar an gcnámh.
'Seo dhuit cnámh,' arsa Daidí.
'Go raibh maith agat,' arsa Rúfaí. 'Go raibh mile, míle maith agat. Ní bheidh ocras orm anois.'

## Rian 15: Leathanach fiche a haon

Féach ar na pictiúir. Tá sé phictiúr ar an leathanach seo. Tá Niall i ngach pictiúr. I bpictiúr amháin tá sé ag ithe oráiste. Cuir uimhir a haon ar an bpictiúr seo. (P)
I bpictiúr eile tá Niall ag ól líomanáide. Cuir uimhir a dó ar an bpictiúr seo. (P)
Féach ar an leathanach arís. Tá Niall ag ithe banana i bpictiúr eile. Cuir uimhir a trí ar an bpictiúr seo. (P)
Tá Niall ag ithe úill i bpictiúr eile. Cuir uimhir a ceathair ar an bpictiúr seo. (P)
Féach ar na pictiúir arís. Tá masc ina lámha ag Niall. Cuir uimhir a cúig ar an bpictiúr seo. (P)
Níl ach pictiúr amháin fágtha. Féach ar an bpictiúr seo. Tá fáinne ina láimh ag Niall. Cuir uimhir a sé ar an bpictiúr seo. (P)

*Anois, cloisfidh tú an giota arís.*

## Rian 16: Leathanach fiche a trí

Féach ar na pictiúir agus éist leis an scéal.

### Ricí, Licí agus an Chailleach Ghránna

Bhí Ricí agus Licí ag siúl lá amháin. Bhí ocras orthu. Ní raibh cáis acu. Ní raibh úlla acu. Ní raibh prátaí acu. Ní raibh trátaí acu. Tháinig siad go dtí teach beag deas.
'Ó, féach, a Ricí,' arsa Licí. 'Tá cáis, prátaí, subh agus trátaí ar an teach.'
'Is maith linn cáis,
Is maith linn prátaí,
Is maith linn subh,
Is maith linn trátaí,' arsa Ricí agus Licí.
Tháinig cailleach amach. 'An bhfuil ocras oraibh?' arsa an chailleach. 'Tá milseáin, calóga, líreacáin, cáis agus cáca agam sa teach.' Chuaigh Ricí agus Licí isteach sa teach agus

thosaigh siad ag canadh.
'Is maith linn cáis,
Is maith linn prátaí,
Is maith linn subh,
Is maith linn trátaí.'
Ansin chuir an chailleach Ricí isteach i gcás agus dúirt sí:
'Is maith liom milseáin,
Is maith liom calóga,
Is maith liom líreacáin
Ach is fearr liom lucha,' agus dúirt sí arís é:
'Is maith liom milseáin,
Is maith liom calóga,
Is maith liom líreacáin
Ach is fearr liom lucha.'
Bhí an chailleach ag siúl in aice na tine. Thug Licí cic di agus thit sí isteach sa tine. D'oscail Licí an cás ansin. Shiúil Ricí amach as. Chuir siad milseáin, calóga, líreacáin, cáis agus cáca isteach i mála. Shiúil siad abhaile ansin. Bhí áthas an domhain orthu.

## RIAN 17: LEATHANACH FICHE A CÚIG

Féach ar an bpictiúr agus éist leis an dán.

### An Banana

Thit banana mór buí
Ar an urlár inné;
Bhí Pól ag obair
Is ní fhaca sé é.

Chuala sé an fón
Amuigh sa halla;
Chas sé is sheas sé
Ar an mbanana.

Ghortaigh Pól a thóin
Ar urlár an tí,
Ach fuair Mam seacláid
Is d'ith sé í.

## **Rian 18: leathanach a tríocha**

Féach ar na pictiúir agus éist leis an scéal.

### **Tháinig San Nioclás**

Bhí Aoife agus Pól sa leaba. Bhí siad ina gcodladh. D'oscail San Nioclás an doras go ciúin. Shiúil sé isteach sa seomra suí. D'oscail sé a mhála. Bhí giotár agus pianó ó Aoife. Chuir San Nioclás an giotár ar an taobh deas den doras. Chuir sé an pianó faoin gcrann Nollag. Bhí róbat agus druma ó Phól. Chuir San Nioclás an róbat ar an taobh deas den doras. Chuir sé an druma faoin gcrann Nollag. Ansin d'imigh sé leis. Ar maidin rith Aoife agus Pól isteach an doras. Chonaic Aoife an pianó faoin gcrann Nollag. Ní fhaca sí an giotár ar an taobh deas den doras.
'Ní bhfuair mé mo ghiotár,' arsa Aoife. 'Tá brón orm,' agus thosaigh sí ag caoineadh.
'Agus ní bhfuair mise mo róbat,' arsa Pól. 'Tá brón orm,' agus thosaigh sé ag caoineadh freisin.
'Fuair sibh na bronntanais,' arsa Daidí. 'Féach, a Aoife, tá do ghiotár ar an taobh deas den doras agus féach, a Phóil, tá do róbat ar an taobh deas den doras freisin.'
'Hurrá!' arsa Aoife. 'Fuair mé mo ghiotár. Tá áthas orm.'
'Hurrá!' arsa Pól. 'Fuair mé mo róbat. Tá áthas orm.'
Bhí an-lá ag Aoife agus Pól, lá Nollag.

## Rian 19: Leathanach tríocha a haon

Tóg peann luaidhe i do láimh. Tá dhá bhosca ar an leathanach seo. I mbosca a haon tarraing pictiúr den ghiotár agus den phianó a fuair Aoife ó Shan Nioclás. (P) Scríobh na focail 'giotár' agus 'pianó' sna boscaí beaga. (P) Faigh do chriáin ansin agus dathaigh na bréagáin. (P)

*Anois, cloisfidh tú an giota arís.*

I mbosca a dó, tarraing pictiúr den róbat agus den druma a fuair Pól ó Shan Nioclás. (P) Scríobh na focail 'róbat' agus 'druma' sna boscaí beaga. (P) Anois, dathaigh na bréagáin. (P)

*Anois, cloisfidh tú an giota arís.*

## Rian 20: Leathanach tríocha a trí

Feach ar na pictiúir agus éist leis an scéal.

### Ricí – an Rógaire

Bhí na páistí sa seomra. Bhí an múinteoir sa seomra.
'Tóg amach do chóipleabhar agus do pheann luaidhe anois,' arsa an múinteoir leis na páistí.
Thóg na páistí na cóipleabhair agus na pinn luaidhe amach.
'Anois,' arsa an múinteoir, 'tarraing cartún agus dathaigh é.'
Thosaigh gach páiste ag obair. Shiúil an múinteoir go dtí an clár bán. Bhí an clár bán ag barr an tseomra. Thosaigh sí ag scríobh ar an gclár bán. Bhí Ricí ag bun an ranga. Bhí teilifíseán in aice leis. Ní raibh an múinteoir ag féachaint air. Chuir Ricí an teilifíseán ar siúl. Bhí na *Simpsons* ar siúl air. Thosaigh Ricí ag gáire. Chuala an múinteoir é.
'A Ricí!' arsa an múinteoir, 'níl cead agat an teilifíseán a chur ar siúl.'
'Gabh mo leithscéal,' arsa Ricí.
'Ar tharraing tú an pictiúr?' arsa an múinteoir.

'Níor tharraing mé ach tá mé chun pictiúr de *Bart Simpson* a tharraingt anois.'
'Maith thú,' arsa an múinteoir, 'bí ag obair anois agus ná cuir an teilifíseán ar siúl arís.'

## RIAN 21: LEATHANACH TRÍOCHA A CEATHAIR

Féach ar na pictiúir. Cuir do mhéar ar an iasc. (P) Cuir do mhéar ar an gcáis. (P) Cuir do mhéar ar an mbord. (P) Anois cuir do mhéar ar an lampa. (P)

Éist liom arís.
Féach ar phictiúr a ceathair. An bhfuil Licí ag féachaint ar an teilifís? Scríobh an focal 'Tá' nó 'Níl' sa bhosca. (P)
Féach ar phictiúr a sé. An bhfuil Aoife ag féachaint ar chluiche? Scríobh an focal 'Tá' nó 'Níl' sa bhosca. (P)
Féach ar phictiúr a trí. Is mise Rúfaí. An bhfuil iasc agam? Scríobh an focal 'Tá' nó 'Níl' sa bhosca. (P)
Anois féach ar phictiúr a cúig. Is mise Pól. An bhfuil mé i mo chodladh ar an tolg? Scríobh an focal 'Tá' nó 'Níl' sa bhosca. (P)
Féach ar phictiúr a dó. Is mise Fífí. An bhfuil cnámh agam? Scríobh an focal 'Tá' nó 'Níl' sa bhosca. (P)
Féach ar phictiúr a haon. Is mise Ricí. An bhfuil mé ag féachaint ar an teilifís? Scríobh an focal 'Tá' nó 'Níl' sa bhosca. (P)

*Anois, cloisfidh tú an giota arís.*

## RIAN 22: LEATHANACH TRÍOCHA A CÚIG

Féach ar an bpictiúr agus éist leis an dán.

**Teilifíseán is ea Mé**

Teilifíseán is ea mé
Is táim sa chúinne;
Cloisim is feicim
Gach rud sa seomra.

Feicim Aoife ag léamh,
Is Rúfaí ina shuí,
Licí ag scríobh,
Is Rici ina luí,

Cloisim Mamaí is Daidí
Ag caint is ag gáire;
Is Fífí ag crónán
Amuigh sa halla.

## Rian 23: leathanach tríocha a sé

Tá sé phictiúr ar an leathanach seo. I bpictiúr amháin, tá Rúfaí ina luí ar an ruga. Cuir uimhir a haon ar an bpictiúr seo. (P)
Anois, féach ar an leathanach arís. I bpictiúr eile, tá Rúfaí ina shuí ar chathaoir agus tá sé ag léamh leabhair. Cuir uimhir a dó ar an bpictiúr seo. (P)
Go maith. Féach ar na pictiúir arís. Tá Rúfaí ina shuí ag an mbord agus tá sé ag scríobh ar chóipleabhar. Cuir uimhir a trí ar an bpictiúr seo. (P)
Féach ar an leathanach arís. I bpictiúr eile tá Pól ag féachaint ar an teilifís. Cuir uimhir a ceathair ar an bpictiúr seo. (P)
An bhfuil sé sin déanta agaibh? Féach ar na pictiúir arís. Tá an teilifíseán sa chúinne. Cuir uimhir a cúig ar an bpictiúr seo. (P)
Níl ach pictiúr amháin fágtha. Tá Pól sa phictiúr seo agus tá áthas air. Cuir uimhir a sé ar an bpictiúr seo. (P)

*Anois, cloisfidh tú an giota arís.*

## Rian 24: Leathanach Tríocha a Naoi

Féach ar na pictiúir agus éist leis an scéal.

### Buachaill Maith

Bhí Pól sa ghairdín. Bhí sé ag luascadh ar an luascán. Bhí Daidí ag obair sa chistin.
'A Phóil,' arsa Daidí, 'téigh go dtí an siopa agus ceannaigh dhá bharra seacláide, trí phiorra agus ceithre oráiste dom.'
Thug sé trí euro do Phól. Chuir Pól na trí euro ina phóca. Shiúil sé go dtí an siopa. Fuair sé ciseán sa siopa. Chuir sé dhá bharra seacláide, trí phiorra agus ceithre oráiste sa chiseán. Chuir an siopadóir gach rud i mála. Chuir Pól a lámh ina phóca. Ní raibh na trí euro ann. Bhí brón air. Tháinig a chara, Niall, isteach sa siopa. Chonaic Pól é.
'Chaill mé trí euro,' arsa Pól, 'agus níl aon airgead agam.'
'Seo dhuit é,' arsa Niall agus thug sé trí euro do Phól.
'Go raibh maith agat,' arsa Pól agus thug sé na trí euro don siopadóir.
Shiúil Niall abhaile le Pól. Shiúil siad isteach sa seomra suí. Bhí Daidí ina shuí ar an tolg.
'Chaill mé na trí euro a thug tú dom,' arsa Pól, 'ach thug Niall trí euro eile dom.'
'Go raibh míle maith agat,' arsa Daidí le Niall agus thug sé ceithre euro dó.
Shiúil Niall abhaile go sona sásta. Bhí áthas an domhain air.

## Rian 25: Leathanach a Daichead

Féach ar an bpictiúr agus éist leis an dán.

### Siopa Bréagán

Tá siopa agam
Lán de bhréagáin;
Balúin is sleamhnáin,
Drumaí is luascáin.

Rollóir is roicéad,
Róbat is feadóg,
Pianó is puipéad,
Buicéad is bábóg.

Is maith liom gach bréagán,
Is fearr liom ceann amháin;
Is fearr liom go mór é, –
An capall luascáin.

Tasc éisteachta. Tóg amach do chóipleabhar agus faigh do pheann luaidhe. Tarraing scútar ar an leathanach agus cuir Ricí air. (P) Tarraing capall luascáin agus cuir Daidí air. Tarraing luascán agus cuir Fífí ag luascadh air. (P) Anois dathaigh na pictiúir. (P)

*Anois, cloisfidh tú an giota arís.*

## RIAN 26: LEATHANACH DAICHEAD A CEATHAIR

Éist leis an scéal.

### Ag Súgradh sa Ghairdín

Bhí Aoife agus Rúfaí sa seomra suí. Bhí Aoife ag léamh agus bhí Rúfaí ag scríobh. Tháinig Mamaí isteach sa seomra.
'Tá an ghrian ag taitneamh,' arsa Mamaí, 'teigí amach agus bígí ag súgradh.'
Chuaigh Aoife agus Rúfaí amach an doras. Bhí gaineamh ar an taobh deas den doras. Bhí buicéad agus spád sa ghaineamh.
'An féidir leat caisleán a dhéanamh?' arsa Rúfaí.
'Is féidir liom,' arsa Aoife agus rinne sí caisleán.
'An féidir leat tollán a dhéanamh anois?' arsa Rúfaí.
'Is féidir liom tollán a dhéanamh,' arsa Aoife agus rinne sí tollán.

Tháinig Ricí isteach sa gháirdín. Ní raibh sé ag siúl. Bhí sé ag rith. Bhí Fífí ag rith ina dhiaidh. Rith Ricí tríd an tollán; ach bhí Fífí ró-mhór agus leag sí an tollán.
'Tá brón orm, a Aoife,' arsa Fífí, 'tabhair dom an spád.'
Rinne Fífí tollán nua. Tháinig Pól agus Licí isteach sa ghairdín. Thosaigh siad go léir ag imirt sacair ansin.

## RIAN 27: LEATHANACH DAICHEAD A SÉ

Féach ar an bpictiúr agus éist leis an dán le Caitríona Ní Chonchúir:

**Gluaiseacht**
Is féidir liom rith;
Is féidir liom siúl;
Is féidir liom preabadh
Ar aghaidh 'is ar gcúl:

Is féidir liom stad;
Is féidir liom seasamh;
Is féidir liom rith
Timpeall ag preabadh:

Is féidir liom casadh;
Is féidir liom suí;
Is féidir liom cromadh
Agus dul i mo luí.

## RIAN 28: LEATHANACH DAICHEAD A NAOI

Feach ar an bpictiúr. Fear grinn atá anseo agus tá balúin ina lámha aige. Cuir do mhéar ar na balúin. (P) Cuir do mhéar ar a hata. (P) Cuir do mhéar ar a bhríste. (P) Taispeáin dom a bhróga. (P) Taispeáin dom a bhéal. (P) Cuir do mhéar ar a shrón. (P)

Tá uimhir a haon, a dó, a trí, a ceathair, a cúig, a sé, a seacht agus a hocht ar an leathanach. Faigh do chriáin agus éist liom.

Cuir dath gorm ar gach uimhir a haon. (P)
Cuir dath oráiste ar gach uimhir a dó. (P)
Cuir dath buí ar gach uimhir a trí. (P)
Cuir dath donn ar gach uimhir a ceathair. (P)
Cuir dath dubh ar gach uimhir a cúig. (P)
Cuir dath dearg ar gach uimhir a sé. (P)
Cuir dath bán ar gach uimhir a seacht. (P)
Cuir dath glas ar gach uimhir a hocht. (P)

*Anois, cloisfidh tú an giota arís.*

## RIAN 29: LEATHANACH A CAOGA

Féach ar na pictiúir agus éist leis an scéal.

### Pól agus a Chaipín

'Brostaigh ort, a Phóil!' arsa Mamaí, 'tá tú déanach don chóisir. Cuir ort do chaipín. Tá sé ag cur fearthainne.'
Chuaigh Pól go dtí a sheomra codlata. Bhí a chulaith oíche ar an gcathaoir.
'Níl mo chaipín anseo,' arsa Pól, 'b'fhéidir go bhfuil sé sa vardrús.'
Shiúil sé go dtí an vardrús. D'oscail sé an doras agus d'fhéach sé isteach sa vardrús.
'Feicim mo léine,
Feicim mo bhríste,
Feicim mo gheansaí,
Feicim mo stocaí,
Ach ní fheicim mo chaipín,' arsa Pól.
D'oscail sé a mhála scoile agus d'fhéach sé isteach ann.
'Feicim mo leabhair,
Feicim mo chóipleabhair,

Feicim mo chriáin,
Feicim mo scriosán,
Ach ní fheicim mo chaipín,' arsa Pól.
Thosaigh sé ag siúl go dtí an leaba. Bhí carr ar an urlár. Ní fhaca Pól é. Sheas sé air. Thit Pól ar an urlár agus cad a chonaic sé faoin leaba ach an caipín.
'A Mhamaí! A Mhamaí!' arsa Pól, 'fuair mé mo chaipín.'
'Maith an buachaill,' arsa Mamaí, 'anois, tógfaidh mé thú go dtí an chóisir.'
Bhí áthas an domhain ar Phól ansin.

## Rian 30: Leathanach caoga a haon

Féach ar an bpictiúr agus éist leis an dán.

### An Vardrús

Tá vardrús sa seomra
Atá gorm agus buí;
Tá an doras ar oscailt,
Féach! Tá sé lán d'éadaí.

Bríste is léine,
Cóta is geansaí,
Carbhat is gúna,
Seaicéad is stocaí

Thuas ar a bharr
Tá bosca mór bán;
Tá sé lán de rudaí
Liathróid is bréagáin.

## Rian 31: Leathanach caoga a ceathair

Féach ar na pictiúir agus éist leis an scéal.

**Lá Fliuch**

Bhí scamaill sa spéir. Bhí Rúfaí agus Licí sa seomra. Bhí siad ag féachaint amach an fhuinneog. Tar éis tamaill, thosaigh sé ag cur fearthainne.
'Is maith liom an fhearthainn,' arsa Rúfaí. 'Tá mé ag dul amach sa pháirc.'
'Agus is maith liomsa an fhearthainn,' arsa Licí. 'Tá mé ag dul amach freisin.'
D'oscail Rúfaí an doras agus chuaigh sé amach. Lean Licí é agus dhún sí an doras.
'Is maith liom bheith ag damhsa san fhearthainn,' arsa Licí agus thosaigh sí ag damhsa.
'Is maith liom bheith ag léim san fhearthainn,' arsa Rúfaí agus thosaigh sé ag léim.
Ní raibh brón ar Rúfaí. Ní raibh brón ar Licí. Bhí áthas ar Rúfaí. Bhí áthas ar Licí. Thosaigh siad ag gáire. Bhí an féar fliuch. Bhí an féar an-fhliuch. Shleamhnaigh Rúfaí agus thit sé. Bhuail sé a cheann.
'Ó-Ó-Ó-Ó, tá mo cheann tinn,' arsa Rúfaí. 'Tá sé an-tinn. Tá mé ag dul isteach sa teach arís.'
Chuaigh Rúfaí isteach sa teach. Lean Licí é. Bhí Rúfaí ag caoineadh. Thug Licí cnámh dó. Thosaigh sí féin ag ithe cáise.
'Is fearr liom an chnámh ná an fhearthainn,' arsa Rúfaí.
'Agus is fearr liomsa an cháis ná an fhearthainn,' arsa Licí.
Thosaigh Rúfaí agus Licí ag féachaint ar an teilifís ansin.

**RIAN 32: LEATHANACH CAOGA A SÉ**

Féachaigí ar an bpictiúr agus éistigí leis an dán.

**An Samhradh**

Páistí ag súgradh
Gach uile lá,
Ag tógail caisleán
Ar ghaineamh na trá.

Na héin ag canadh
Go hard sa spéir;
Is an ghrian ag taitneamh
An lá go léir.

Bláthanna bána,
Bláthanna buí;
Is breá liom an samhradh,
An séasúr don spraoi.

# INIS DOM 2: CD

## RIAN 1: LEATHANACH A CÚIG

Tá ceithre phictiúr anseo. Ceangail na poncanna, scríobh agus dathaigh. (P)
Anois, cuir do mhéar ar an madra. (P)
Cuir do mhéar ar na súile. (P)
Cuir do mhéar ar an gcat. (P)
Cuir do mhéar ar an mbéal. (P)

*Éist agus cloisfidh tú an giota arís.*

## RIAN 2: LEATHANACH A NAOI

Tá sé phictiúr anseo. Ceangail na poncanna, scríobh agus dathaigh. (P)
Anois, cuir do mhéar ar an sciorta. (P)
Cuir do mhéar ar an mbríste. (P)
Cuir do mhéar ar an veist. (P)
Cuir do mhéar ar an léine. (P)

*Éist agus cloisfidh tú an giota arís.*

## RIAN 3: LEATHANACH A TRÍ DÉAG

Féach ar na pictiúir agus éist go cúramach liom.
Tá Rúfaí ag ithe. Tá Daidí ag obair. Tá Nóra ag ól. Tá Fífí ag obair.
Anois, féach ar na habairtí. Níl na focail in ord. Cuir na focail in ord. (P) Léifidh mé na habairtí arís.
Tá Rúfaí ag ithe. (P) Tá Daidí ag obair. (P) Tá Nóra ag ól. (P) Tá Fífí ag obair. (P)

Léifidh mé na habairtí arís. Cuir na focail in ord.

## Rian 4: leathanach a hocht déag

Féach ar an bpictiúr. Tóg suas do pheann luaidhe, éist agus tarraing.

Tá bord sa seomra. Níl aon rud ar an mbord. Tá meaisín níocháin sa seomra. Tá pota ar an bhfuinneog. Tá bláth sa phota. Anois, tarraing ciseán ar an mbord agus cuir Rúfaí isteach ann. (P) Tarraing Ricí faoin mbord agus cuir leabhar ina láimh. (P) Cuir pictiúr ar an mballa agus bosca ar an meaisín níocháin. (P) Anois, dathaigh an pictiúr. (P)

*Éist agus cloisfidh tú an giota arís.*

## Rian 5: leathanach a hocht déag

Éistigí leis an dán '**Bzz**' le Gabriel Fitzmaurice.

## Rian 6: leathanach fiche a haon

Éist go cúramach liom. Ansin tóg suas do pheann luaidhe agus scríobh na freagraí.

Tá Mamaí ag obair sa ghairdín. (P) Tá Daidí sa chistin. Tá sé ag ithe. (P) Tá Fífí sa chistin. Tá sí ag ithe. (P) Tá Rúfaí sa ghairdín. Tá sé ag súgradh. (P)

*Anois, éist agus cloisfidh tú na h-abairtí arís.*

## Rian 7: leathanach fiche a trí

Éistigí leis an scéal.

**Cupán Bainne**

Rith Pól abhaile ón siopa inné. Bhí an ghrian ag taitneamh sa spéir. Tar éis tamaill d'éirigh sé tuirseach agus bhí tart air. Bhí tart an domhain air. Tháinig sé go dtí a theach. D'oscail sé an doras agus shiúil sé isteach sa chistin. Bhí Aoife sa chistin.
'Tá tart an domhain orm,' arsa Pól.
'An maith leat cóc?' arsa Aoife.
'Ní maith liom cóc,' arsa Pól.
'An maith leat bainne?' arsa Aoife.
'Is maith liom bainne,' arsa Pól.
Shiúil Aoife go dtí an cófra. D'oscail sí an doras agus fuair sí cupán. Shiúil Pól go dtí an cuisneoir. D'oscail sé an doras agus fuair sé bainne. Thug Aoife an cupán do Phól.
'Go raibh maith agat,' arsa Pól.
Chuir sé an bainne isteach sa chupán agus d'ól sé é.
Ní raibh tart ar Phól ansin.

## RIAN 8: LEATHANACH FICHE A CEATHAIR

Buaileann Nóra le hAoife ar an tsráid. Tosaíonn siad ag caint. Éistigí leo.

## RIAN 9: LEATHANACH FICHE A CÚIG

Éistigí leis an dán '**Ricí, Licí, Rúfaí, Fífí'.**

## RIAN 10: LEATHANACH FICHE A NAOI

Féach ar an bpictiúr. Éist go cúramach liom.

Níl clog sa bhosca. Níl leabhar sa bhosca. Níl peann luaidhe sa bhosca. Anois, tóg suas do pheann luaidhe agus cuir leabhar, clog agus peann luaidhe sa bhosca. (P) Anois, tarraing Ricí in aice an bhosca. (P) Dathaigh an pictiúr anois. (P)

*Anois, cloisfidh tú an giota arís.*

## RIAN 11: LEATHANACH TRÍOCHA A DÓ

Éistigí leis an dán '**Mo Mhála'.**

## RIAN 12: LEATHANACH TRÍOCHA A CÚIG

Féach ar an bpictiúr. Tóg suas do pheann luaidhe, éist agus tarraing.

Tá Pól ag scríobh ar an gclár dubh. Tarraing Pól ag scríobh ar an gclár dubh. (P) Cuir cailc ina láimh. (P)
Tá Aoife ag an leabharlann. Cuir Aoife ag an leabharlann. (P) Cuir leabhar ina láimh. (P)
Tá Niall ag léamh leabhair. Tarraing Niall ag léamh leabhair. (P) Cuir Niall ina shuí ar chathaoir. (P)
Anois, dathaigh an doras, an leabharlann agus an bosca bruscair.

*Anois, cloisfidh tú an giota arís.*

## RIAN 13: LEATHANACH TRÍOCHA A NAOI

Féach ar an bpictiúr.
Éist agus ansin scríobh na freagraí.

Bhí Mamaí sa chistin. Bhí Rúfaí sa ghairdin.
'Bhuf! Bhuf!' arsa Rúfaí, 'tá ocras orm.' (P)
Shiúil sé isteach sa chistin. Bhí Mamaí sa chistin. (P)
'Bhuf! Bhuf!' arsa Rúfaí arís.
Chuala Mamaí é. Thug sí arán do Rúfaí. (P) D'ith Rúfaí é. (P)
'Bhuf! Bhuf!' arsa Rúfaí. 'Níl ocras orm anois.'

*Anois, éist agus cloisfidh tú an giota seo arís.*

## Rian 14: Leathanach Daichead a Trí

Féach ar an bpictiúr agus éistigí liom:

'Ó, féach,' arsa Mamaí, 'tá Fífí ar an mbord. Tá cupán ina láimh aici agus tá sí ag ól bainne.'
'Sea,' arsa Daidí, 'agus tá Rufaí faoin mbord. Tá pláta ar an urlár. Tá prátaí ar an bpláta. Tá Rúfaí ag ithe na bprátaí.'

Anois, tóg suas do pheann luaidhe. Tarraing pictiúr de Fhifí ag ól bainne ar an mbord. (P) Ansin, tarraing pictiúr de Rúfaí ag ithe prátaí faoin mbord. (P)

*Anois, éist agus cloisfidh tú an giota seo arís.*

## Rian 15: Leathanach Daichead a Cúig

### An Pictiúr

Bhí Pól sa rang. Bhí an múinteoir ag múineadh. Bhí na páistí ag éisteacht. Bhí Ricí ag éisteacht, freisin.
'Tar amach, a Phóil,' arsa an múinteoir.
'Seo dhuit an chailc. Téigh go dtí an clár dubh agus tarraing pictiúr de Rúfaí air.'
Thug an múinteoir an chailc do Phól. Shiúil sé go dtí an clár dubh. Tharraing sé pictiúr de Rúfaí ar an gclár dubh. Bhí na páistí go léir ag féachaint air. Tharraing sé pictiúr an-mhaith de Rúfaí.
Thosaigh na páistí go léir ag gáire. Thosaigh an múinteoir ag gáire freisin.
'Go raibh maith agat,' arsa an múinteoir. 'Sin pictiúr an-mhaith. Tabhair bualadh bos do Phól.'
Thug na páistí bualadh bos do Phól. Bhí áthas an domhain ar Phól ansin.

## RIAN 16: LEATHANACH DAICHEAD A SÉ

Tá Niall agus Aoife sa rang. Tá siad ag caint.
Éistigí leo.

## RIAN 17: LEATHANACH DAICHEAD A SEACHT

Éistigí leis an dán '**Is Maith Liom Gach Dath'.**

## RIAN 18: LEATHANACH CAOGA A HAON

Féach ar an bpictiúr. (lth. 50).
Cuir do mhéar ar an tolg. (P) Cuir do mhéar ar an gcófra agus ar an ríomhaire. (P) Cuir do mhéar ar an tine agus ar bhríste Mhamaí. (P)
Anois, faigh do chriáin. Cuir dath gorm ar na ballaí. (P)
Cuir dath buí ar an urlár. (P)
Anois, cuir dath glas ar an tolg. (P)
Cuir dath dearg ar bhríste Mhamaí (P) agus cuir dath donn ar an gcófra. (P)

*Anois, cloisfidh tú an giota arís.*

## RIAN 19: LEATHANACH CAOGA A CÚIG

Éist leis an ngiota seo faoi dhó.
Ansin tóg suas do pheann luaidhe agus scríobh na freagraí.

Shiúil Pól isteach sa chistin. Shuigh sé ag an mbord.
'Cá bhfuil an bainne?' arsa Pól.
D'fhéach Mamaí isteach sa chófra. Ní raibh aon bhainne ann. (P)
'Seo euro dhuit, a Phóil,' arsa Mamaí. (P) 'Téigh go dtí an siopa agus ceannaigh bainne.'
Chuaigh Pól go dtí an siopa (P) agus cheannaigh sé an bainne.
Thug sé euro don siopadóir (P) agus shiúil sé abhaile.

*Anois, éist agus cloisfidh tú an giota seo arís.*

### **RIAN 20: LEATHANACH CAOGA A SÉ**

Éistigí leis an dán '**Tar Éis na Nollag'.**

### **RIAN 21: LEATHANACH CAOGA A NAOI**

Féach ar an bpictiúr. Faigh do chriáin agus éist.

Tá San Nioclás ar a charr sleamhnáin. Tá sé ag dul go teach Phóil agus Aoife. Tá mála bréagán aige.
Anois, cuir dath dearg ar a chóta, ar a bhríste agus ar a hata. (P)
Faigh do chrián buí anois, agus cuir dath buí ar an gcarr sleamhnáin. (P)
Anois, cuir dath gorm ar a bhróga agus ar an mála bréagán. (P)

*Éist agus cloisfidh tú an giota arís.*

### **RIAN 22: LEATHANACH A SEASCA**

Feach ar an bpictiúr agus éist leis an scéal.

**An Cartún**

Tháinig Pól abhaile ón scoil inné. Chuaigh sé isteach sa seomra teaghlaigh. D'oscail sé a mhála scoile. Thóg sé amach na leabhair. Rinne sé a cheachtanna. Ansin shiúil sé isteach sa seomra suí. Chonaic sé Aoife ann. Bhí sí ina suí ar an gcathaoir uilleann. Bhí sí ag féachaint ar an teilifís.
'Cad tá ar siúl ar an teilifís?' arsa Pól.
'Tá cartún ar siúl,' arsa Aoife.
'Inis dom faoi,' arsa Pól.
'Tá Ricí ag rith mar tá Fífí ag rith ina dhiaidh.'

D'fhéach Pól ar an teilifís. Chonaic sé Ricí ag rith agus chonaic sé Fífí ag rith ina dhiaidh. Rith Ricí isteach sa pholl. Bhí áthas ar Ricí ansin ach ní raibh áthas ar Fhífí.

## RIAN 23: LEATHANACH SEASCA A HAON

Tá Pól ag caint leis an siopadóir. Éistigí leo.

## RIAN 24: LEATHANACH SEASCA A CÚIG

Imríonn tú peil ar fhoireann na scoile. Is cúl báire thú. Tá tú ag imirt sa chúl. Tarraing pictiúr díot féin ag imirt sa chúl. (P)
Cuir an dath ceart ar do gheansaí, ar do bhríste, ar do stocaí agus ar do bhróga peile. (P)
Anois, cuir dath glas ar an bhféar agus dath gorm ar an spéir. (P)

*Éist agus cloisfidh tú an giota arís.*

## RIAN 25: LEATHANACH SEASCA A NAOI

Éist leis an ngiota seo faoi dhó agus ansin freagair na ceisteanna.

Bhí na páistí sa chistin. (P) Bhí Nóra ag léamh. Tháinig Mamaí isteach sa chistin. (P)
'A Nóra,' arsa Mamaí, 'tá tú ocht mbliana d'aois inniu. Fuair mé bronntanas duit.'
D'oscail Nóra an bosca. (P)
'Ó!' arsa Nóra, 'tá coinín bán sa bhosca.'
'Tá,' arsa Síle, 'agus tá coinín dubh ann freisin.' (P)
'Ó, is maith liom na coiníní,' arsa Nóra, 'go raibh maith agat, a Mhamaí.'

*Anois, éist agus cloisfidh tú an giota seo arís.*

## Rian 26: leathanach seachtó a trí

Éistigí liom.

Bhí poll ar chóta Phóil. Thóg Daideo é go dtí an siopa éadaigh. Chuir an siopadóir fáilte rompu. Chuir sé cóta amháin ar Phól. D'fhéach Pól air féin sa scáthán. Bhí an cóta sin róbheag dó.

Anois, oscail do chóipleabhar. Tóg suas do pheann luaidhe agus tarraing Pól sa siopa. (P) Tarraing é ag féachaint air féin sa scáthán. (P) Cuir an siopadóir ina sheasamh in aice leis. (P) Tarraing Daideo ina shuí ar chathaoir in aice leis. (P) Anois, faigh do chriáin agus dathaigh an pictiúr. (P)

*Éist agus cloisfidh tú an giota arís.*

## Rian 27: leathanach seachtó a seacht

Éist go cúramach liom anois.

Féach ar an bpictiúr. Tá siopadóir ag an doras. Tá sé ag cur fearthainne. Níl Daidí, Mamaí ná Rúfaí sa phictiúr. Níl carr sa phictiúr.
Anois, faigh do pheann luaidhe. Tarraing pictiúr de Dhaidí agus scáth fearthainne aige. (P)
Tarraing pictiúr de Mhamaí agus í sa charr. (P)
Anois, tarraing pictiúr de Rúfaí agus scáth fearthainne aige. (P)

*Éist agus cloisfidh tú an giota arís.*

## Rian 28: leathanach a hochtó

Féach ar an bpictiúr agus éist leis an scéal.

### Ag Péinteáil

An samhradh a bhí ann. Bhí an ghrian ag taitneamh. Bhí Ricí agus coinín ag súgradh sa pháirc. D'oscail Rúfaí an geata agus chuaigh sé isteach sa pháirc. Bhí mála agus stól aige. Shuigh sé ar an stól. Thóg sé leathanach mór as an mála. Ansin thóg sé peann luaidhe, péint agus scuab as an mála. Tharraing sé pictiúr. Ansin thosaigh sé ag péinteail. Tháinig Fífí isteach sa pháirc. Chonaic sí Rúfaí.
'Cad tá ar siúl agat, a Rúfaí?' arsa Fífí.
'Tharraing mé tarracóir agus sionnach.' arsa Rúfaí. 'Anois, tá mé ag cur dath buí ar an tarracóir agus dath dearg ar an sionnach.'
'Cuir dath glas ar an bhféar, freisin,' arsa Fífí.
'Tá go maith,' arsa Rúfaí, 'ach féach! Tá scamaill sa spéir. An bhfuil scáth fearthainne agat?'
'Níl scáth fearthainne agam,' arsa Fífí. 'Tá sé sa bhaile faoin staighre.'
'Tá sé in am dul abhaile mar sin,' arsa Rúfaí.
Chuir Fífí an peann luaidhe, an phéint agus an scuab isteach sa mhála. Dhún Rúfaí an mála. Shiúil siad amach as an bpáirc. Dhún siad an geata agus d'imigh siad abhaile.

### RIAN 29: LEATHANACH OCHTÓ A DÓ

Tá Síle agus Pól ag caint. Éistigí leo.

### RIAN 30: LEATHANACH OCHTÓ A TRÍ

Éistigí leis an dán '**Frog'.**

### RIAN 31: LEATHANACH OCHTÓ A SEACHT

Éist go cúramach agus ansin freagair na ceisteanna.

An samhradh a bhí ann. Bhí an lá go breá. (P) Bhí an ghrian sa spéir. (P) Bhí sí ag taitneamh go láidir. Bhí Niall ag siúl sa pháirc. (P) Chonaic sé na bláthanna agus chuala sé na héin ag canadh.

*Anois, éist agus cloisfidh tú an scéal arís.*

## Rian 32: Leathanach ochtó a hocht

Éistigí leis an dán '**An Tuath**'.

## Rian 33: Leathanach nócha a haon

Féach ar an bpictiúr, éist agus faigh crián dearg agus crián gorm.

Bhí cóisir ag Síle inné. Tháinig Niall agus Nóra go dtí an chóisir. Thug Niall leabhar, druma agus milseán do Shíle. Tarraing líne dhearg timpeall na mbronntanas a thug Niall do Shíle. (P) Thug Nóra bád, gunna agus róbat di. Tarraing líne ghorm timpeall na mbronntanas a thug Nóra do Shíle. (P)

*Anois, cloisfidh tú an giota arís.*

## Rian 34: Leathanach nócha a cúig

Féach ar na habairtí. Éist agus cuir tic nó X sna boscaí. Éist agus scríobh an focal 'ceart' nó 'mícheart' ina ndiaidh.

An samhradh a bhí ann. Bhí Daidí, Aoife agus Pól ar an trá. (P) Bhí an lá go breá. Bhailigh Pól sliogáin. Rinne Aoife caisleán. (P) Chuaigh Daidí ag snámh. (P)

*Anois, éist agus cloisfidh tú an scéal arís.*

## Rian 35: Leathanach nócha a seacht

Éistigí leis an dán '**Cois Trá'**.

## Rian 36: Leathanach a céad

Féach ar an bpictiúr. Tóg suas do pheann luaidhe, éist agus tarraing.

Féach ar an stól sa phictiúr. Cuir leon ar an stól seo. (P) Ansin tarraing luch faoin stól. (P)
Féach ar na duilleoga. Tarraing eilifint ag ithe na nduilleog. (P)
Féach ar an gcás sa phictiúr. Cuir moncaí sa chás seo. (P)
Anois, dathaigh an pictiúr. (P)

*Éist agus cloisfidh tú an giota arís.*

## Rian 37: Leathanach céad a dó agus céad a trí

Féach ar na pictiúir. Éist leis an scéal.

### Picnic

Ní raibh aon scoil ag Rúfaí, Ricí, Licí agus Fífí inné. Bhí lá saoire acu. Chuaigh siad ar phicnic. Bhí an ghrian ag taitneamh go láidir. Chuaigh siad isteach i bpáirc.
'An bhfuil na ceapairí agat, a Ricí?' arsa Fífí.
'Tá na ceapairí agam,' arsa Ricí, 'agus tá milseáin ag Licí.'
'Ar chuir tú na brioscaí sa mhála?' arsa Licí le Rúfaí.
'Chuir mé,' arsa Rúfaí, 'agus chuir mé líomanáid isteach ann freisin.'
Leath Fífí an ruga ar an bhféar. Díreach ansin, chuala siad búir. D'fhéach siad timpeall. Chonaic siad tarbh sa pháirc.
'Tá eagla orm,' arsa Rúfaí.
'Agus tá eagla ormsa,' arsa Ricí.

Thóg Fífí an ruga agus rith siad abhaile. Tháinig siad go dtí an teach. Bhí faiche os comhair an tí. Leath Rúfaí an ruga ar an bhfaiche. D'oscail Ricí an mála agus thóg sé amach na ceapairí agus an líomanáid. Thóg Licí na milseáin agus na brioscaí amach as an mála. D'ith siad agus d'ól siad gach rud. Bhí an-phicnic acu.

## RIAN 38: LEATHANACH CÉAD A CEATHAIR

Féach ar an bpictiúr. Tá Aoife agus an múinteoir ag caint. Éistigí leo.

## RIAN 39: LEATHANACH CÉAD A CÚIG

Éistigí leis an dán '**An Zú**'.

# INIS DOM 3: CD

## RIAN 1: LEATHANACH A CEATHAIR

Is mise Cití. Is maith liom bainne. Tá mé ceithre bliana d'aois. Anois, cuir an uimhir cheart isteach sa bhosca ceart. (P)
Is mise Máire. Is maith liom líomanáid. Tá mé seacht mbliana d'aois. Cuir an uimhir cheart isteach sa bhosca ceart. (P)
Is mise Seán. Is maith liom oráiste. Tá mé ocht mbliana d'aois. Anois, cuir an uimhir cheart isteach sa bhosca ceart. (P)
Is mise Luas. Tá mé cúig bliana d'aois. Is maith liom cnámh. Cuir an uimhir cheart isteach sa bhosca ceart. (P)

*Éist agus cloisfidh tú an giota arís.*

## RIAN 2: LEATHANACH A SEACHT

Tóg suas do pheannluaidhe agus éist.

Tá bord agus cathaoir sa seomra codlata. Cuir cíor ghruaige agus scuab ghruaige ar an mbord. (P) Cuir culaith oíche ar an gcathaoir. (P) Cuir fuinneog ar an mballa. (P) Cuir mata faoin mbord. (P) Anois, dathaigh an mata, an bord agus an chulaith oíche. (P)

*Éist agus cloisfidh tú an giota seo arís.*

## RIAN 3:

Éist leis an dán '**Táim Láidir**' ar leathanach céad fiche a sé.

## RIAN 4: LEATHANACH A TRÍ DÉAG

Éist go cúramach leis an scéal. Ansin scríobh na freagraí.

…aigh Citÿ isteach i seomra Chiara. Chonaic sí gúna ar an …eaba. (P) Chonaic sí bróga ar an ruga. (P) Chuir sí na bróga uirthi. Chuir sí an gúna uirthi. (P) Rinne sí poll sa ghúna. Chonaic Ciara an gúna. Bhí sí an-chrosta le Citÿ. (P)

*Anois, éist agus cloisfidh tú an scéal arís.*

**RIAN 5: LEATHANACH A SEACHT DÉAG**

Éist go cúramach agus scríobh an focal 'ceart' nó 'mícheart'.

Féach ar phictiúr uimhir a haon. Is luch mise. Táim im' shuí ar chathaoir. Tá mé ag scríobh: ceart nó mícheart? (P)
Féach ar phictiúr uimhir a dó. Is mise Seán. Is maith liom bheith ag léamh. Tá leabhar agam. Tá mé ag léamh an leabhair: ceart nó micheart? (P)
Féach ar phictiúr uimhir a trí. Is mise Ciara. Tá ocras orm. Tá mé ag ithe aráin: ceart nó mícheart? (P)
Féach ar phictiúr uimhir a ceathair. Is mise Máire. Tá mé sa pháirc. Is maith liom bheith ag súgradh. Tá mé ag léim: ceart nó mícheart? (P)
Féach ar phictiúr uimhir a cúig. Is mise Mamaí. Tá tuirse orm. Tá mé ag an mbord. Tá mé ag ól tae: ceart nó mícheart? (P)
Féach ar phictiúr uimhir a sé. Is mise Citÿ. Tá tart orm. Is fuath liom an tae. Tá mé ag ól bainne: ceart nó mícheart? (P)

*Anois, cloisfidh tú na h-abairtí arís.*

**Rian 6: Féach ar na pictiúir ar leathanach a fiche agus fiche a haon agus éist leis an scéal 'Luas agus Cití'.**

**Rian 7: leathanach fiche a dó**

Tá Eoin agus Síle ag caint. Éistigí leo.

**Rian 8: leathanach fiche a ceathair**

Éistigí leis an dán '**An Luchín**'.

**Rian 9: leathanach fiche a seacht**

Tóg suas do pheann luaidhe, féach ar na pictiúir, éist agus tarraing.

Is mise Máire. An bhfuil cead agam scríobh ar mo chóip-leabhar? Anois, tarraing an cóipleabhar. (P)
Is mise Seán. An bhfuil cead agam leabhar a léamh? Cuir leabhar i mo láimh. (P)
Is mise Eoin. An bhfuil cead agam scríobh ar an gclár dubh? Anois, cuir an clár dubh ar an mballa. (P)
Is mise Ciara. An bhfuil cead agam suí? Tarraing cathaoir. (P)

*Anois cloisfidh tú na habairtí arís.*

**Rian 10:**

Éist leis an dán '**Rufaí**' ar leathanach céad fiche a sé.

**Rian 11: leathanach tríocha a cúig**

Tóg suas do pheann luaidhe, éist agus tarraing.

Is mise Máire. Is maith liom bainne. Cuir cupán bainne i mo láimh. (P)
Is mise Eoin. Is maith liom sceallóga. Tarraing sceallóga ar mo phláta. (P)
Is mise Dónall. Ní maith liom siúcra. Tarraing mála siúcra ar an mbord. (P)
Is mise Cití. Is maith liom iasc. Cuir iasc sa bhabhla. (P)

*Anois, cloisfidh tú an giota arís.*

## Rian 12:

Éist leis an dán '**Mo Choileán**' ar leathanach céad fiche a sé.

## Rian 13: Leathanach tríocha a naoi

Tóg suas do pheann luaidhe, éist agus tarraing.

Féach ar phictiúr A. Cuir buidéal bainne ar an mbord. (P) Ansin tarraing dhá réalta eile san fhuinneog. (P)

Anois, féach ar phictiúr B. Tarraing Licí faoin gcathaoir. (P) Cuir trí leabhar ar an gcófra. (P) Cuir cnónna ar an mbord. (P) Tarraing solas ar lasadh i ngach pictiúr. (P) Ansin dathaigh an dá phictiúr. (P)

*Éist agus cloisfidh tú an giota arís.*

## Rian 14: Féach ar na pictiúir ar leathanach daichead a dó agus daichead a trí agus éist leis an scéal 'Bhí ocras ar Chiara'.

## **Rian 15: Leathanach daichead a ceathair**

Níl aon pheann luaidhe ag Seán agus tá sé ag caint le Ciara. Éistigí leo.

## **Rian 16: Éistigí leis an dán 'An Clog' ar leathanach daichead a seacht.**

## **Rian 17: Leathanach daichead a naoi**

Faigh do pheann luaidhe, éist agus tarraing.

Shiúil Máire isteach sa seomra suí. Chonaic sí Ciara ina suí ar an gcathaoir. Bhí sí ag léamh leabhair. Tarraing Ciara ina suí ar an gcathaoir agus í ag léamh leabhair. (P) Chonaic sí leabhar nótaí ar an matal. Cuir leabhar notaí ar an matal. (P) Chonaic sí raidió ar an leabhragán. Tarraing an raidió ar an leabhragán. (P) Bhí an cianrialtán ar an tolg. Cuir an cianrialtán ar an tolg. (P)

*Éist agus cloisfidh tú an giota arís.*

## **Rian 18: Leathanach caoga a trí**

Féach ar na pictiúir. Éist go cúramach agus scríobh an focal 'ceart' nó 'mícheart'.
Féach ar phictiúr a haon. Tá an biachlár ar an mbord: ceart nó mícheart? (P)
Féach ar phictiúr a dó. Tá an salann idir na cupáin: ceart nó mícheart? (P)
Anois, féach ar phictiúr a trí. Tá an piobar idir na balúin: ceart nó mícheart? (P)
Féach ar phictiúr uimhir a ceathair. Tá Luas faoin mbord: ceart nó mícheart? (P)

Féach ar phictiúr uimhir a cúig. Tá na súile idir na cluasa: ceart nó mícheart? (P)
Anois, féach ar an bpictiúr deireanach. Tá an cianrialtán ar an mbord: ceart nó mícheart? (P)

*Éist agus cloisfidh tú na habairtí arís.*

### RIAN 19: LEATHANACH SEASCA A DÓ

Tá Eoin agus San Nioclás ag caint. Éistigí leo.

### RIAN 20:

Éist leis an dán '**An Bronntanas**' ar leathanach céad fiche a sé.

### RIAN 21: LEATHANACH SEASCA A CÚIG

Éist go cúramach leis an scéal. Ansin scríobh na freagraí.

Chuaigh Áine isteach sa siopa inné. (P) Fuair sí ciseán. Chuir sí cúig bharra seacláide sa chiseán. Chonaic sí milseán ar an urlár. (P) Chuir sí an milseán ar an gcuntar. Thug sí dhá euro don siopadóir. (P) Ansin shiúil sí abhaile.

Féach ar na boscaí anois.
I mbosca a haon cuir trí mhilseán. (P)
Cuir ceithre oinniún i mbosca a dó. (P)
Cuir trí phráta i mbosca a trí. (P)

*Anois, éist agus cloisfidh tú an giota arís.*

### RIAN 22: LEATHANACH SEASCA A NAOI

Éist leis an scéal agus scríobh an focal 'fíor' nó 'bréagach' faoi gach bosca.

Chuaigh Máire go dtí an siopa Dé Luain seo caite. Cheannaigh sí úlla, caora fíniúna, oráistí, oinniúin, cairéid agus bananaí. Nuair a tháinig sí abhaile chuir sí na caora fíniúna i mbosca a haon: fíor nó bréagach? (P)
Chuir sí trí úll i mbosca a dó: fíor nó bréagach? (P)
Chuir sí ceithre chairéad i mbosca a trí: fíor nó bréagach? (P)
Chuir sí cúig bhanana i mbosca a ceathair: fíor nó bréagach? (P)
Chuir sí dhá oinniún i mbosca a cúig: fíor nó bréagach? (P)
Chuir sí milseáin i mbosca a sé: fíor nó bréagach? (P)

*Anois, cloisfidh tú na h-abairtí arís.*

## RIAN 23:

Féach ar na pictiúir ar leathanach seachtó a trí agus seachtó a ceathair agus éist leis an scéal '**Eoin sa Chathair'.**

## RIAN 24: LEATHANACH SEACHTÓ A NAOI

Tóg suas do pheann luaidhe éist agus tarraing.

Is mise Seán. Tá mé sa seomra gléasta. Tarraing mo bhróga faoin mbínse. (P) Cuir mo chóta ar crochadh ar an mballa. (P) Chuir mo chuid éadaigh ar an mbínse. (P) Tarraing bandaí snámha ar mo lámha. (P) Anois tarraing clár snámha ar an urlár. (P) Dathaigh an pictiúr anois. (P)

*Anois, éist agus cloisfidh tú an giota arís.*

## RIAN 25:

Éist leis an dán '**An Tíogar**', leathanach céad fiche a seacht.

## Rian 26: leathanach ochtó a seacht

Féach ar an bpictiúr. Tóg suas do pheann luaidhe, éist agus tarraing.

Is mise Eoin. Seo é mo sheomra codlata. Cuir doras ar an mballa. (P) Cuir radaitheoir leis an mballa. (P) Tarraing leaba agus cathaoir. (P) Cuir mo liathróid chispheile ar an leaba. (P) Tarraing clog ar an mballa. (P) Taispeáin an t-am, leathuair tar éis a trí. (P) Faigh do chriáin anois agus dathaigh an pictiúr. (P)

*Anois, éist agus cloisfidh tú an giota arís.*

## Rian 27: leathanach nócha a dó

Tóg amach do chriáin, éist agus dathaigh.

Is mise Cití. Tá cuaráin orm. Cuir dath dearg orthu. (P)
Is mise Máire. Tá bróga orm. Cuir dath gorm orthu. (P)
Is mise Mamó. Tá slipéir agam. Cuir dath buí orthu. (P)
Is mise Cití arís. Tá léine orm. Cuir dath glas ar an léine. (P)
Is mise Ciara. Tá buataisí orm. Cuir dath donn orthu. (P)
Is mise Daideo. Tá hata orm. Cuir dath dearg air. (P)

*Anois, cloisfidh tú na habairtí arís.*

## Rian 28: leathanach nócha a seacht

Tóg suas do pheann luaidhe, éist agus tarraing.

Is mise Eoin. Tá an sneachta ag titim. Tá fear sneachta á dhéanamh agam. Tarraing mé á dhéanamh. (P) Cuir hata dubh ar a cheann. (P)

Is mise Ciara agus tá Máire in éineacht liom. Tá sé ag cur báistí. Tarraing Máire agus mise ag siúl ar an tsráid agus dhá scáth báistí againn. (P)

Is mise Luas. Tá sé gaofar. Shéid an ghaoth mo hata díom. Tarraing mé ag rith i ndiaidh mo hata. (P)

*Éist agus cloisfidh tú na habairtí arís.*

## Rian 29:

Éist leis na dánta '**An tEarrach'** agus '**An Fómhar'** agus **'Bláthanna'**, leathanach céad fiche a seacht.

## Rian 30: leathanach céad a cúig

Éist go cúramach leis an scéal agus ansin freagair na ceisteanna.

Bhí Maire ag dul ar scoil inné. (P) Shiúil sí amach ar an mbóthar. Tháinig fear ar rothar. (P) Ní fhaca Máire é. (P) Bhuail an rothar í. Thit Máire ar an mbóthar. Thosaigh sí ag caoineadh. (P) Tháinig cara Mhamaí as an siopa. Thóg sí Máire abhaile. Nuair a tháinig sí abhaile bhí sí go maith arís. Thóg Mamaí ar scoil í ansin.

*Anois, éist agus cloisfidh tú an scéal arís.*

## Rian 31: leathanach céad a haon déag

Tóg suas do pheann luaidhe, éist agus tarraing.

Bhí Nóra ocht mbliana d'aois inné. Tháinig a cairde go léir go dtí an chóisir. Thug Liam leabhar di. Cuir an leabhar ar an mbord. (P) Thug Íde bosca seacláide di. Cuir an bosca seacláide ar an mbord. (P) Thug Mamaí fón póca di. Tarraing fón póca ar an mbord. (P) Thaitin an chóisir go mór le Nóra.

*Anois, éist agus cloisfidh tú an giota seo arís.*

## Rian 32: leathanach céad a sé déag

Éist go cúramach leis an scéal agus ansin scríobh an focal 'fíor' nó 'bréagach'.

Chuaigh Eoin go dtí an siopa inné. Ní raibh scáth báistí aige. Thosaigh sé ag cur báistí. Bhí a bhríste fliuch. (P) Rith Eoin go mear isteach i siopa. (P) Chonaic sé an siopadóir. Fear ramhar ba ea é. (P) Bhí mála éadrom ina láimh aige (P) agus bhí cóta fada air. (P) Nuair a tháinig Eoin amach as an siopa ní raibh sé ag cur báistí. Shiúil sé abhaile go mall. (P)

*Anois, éist agus cloisfidh tú an scéal arís.*

## Rian 33: Féach ar na pictiúir ar leathanach céad a hocht déag agus céad a naoi déag agus éist leis an scéal 'Cois Trá'.

## Rian 34: leathanach céad is fiche

Tá Mamaí agus Ciara ag caint sa chistin. Éistigí leo.

# INIS DOM 4: CD

## RIAN 1: LEATHANACH A TRÍ

Bhí Ciara ag dul abhaile ón scoil Dé Luain seo caite. Bhí sé a trí a chlog. Bhí an ghrian sa spéir. Tarraing an ghrian sa spéir. (P) Chonaic Ciara fáinleoga ag eitilt. Tarraing na fáinleoga ag eitilt sa spéir. (P) 'Tá ocras orm,' arsa Ciara. 'Bhí lá fada agam ar scoil.' Thosaigh sí ag rith abhaile. Anois, tarraing Ciara ag rith abhaile. (P) Cuir mála scoile ar a droim agus dathaigh an pictiúr. (P)

*Éist agus cloisfidh tú an giota arís.*

## RIAN 2: LEATHANACH A DEICH.

Éistigí leis an dán 'An Seilide'.

## RIAN 3: LEATHANACH A TRÍ DÉAG

Tóg amach do chóipleabhar, do pheann luaidhe agus do chriáin agus éist.

Is mise Ciarán. Bhí mo chosa salach. Fuair mé báisín uisce. Bhain mé mo bhróga díom. Anois, tarraing mé i mo shuí ar an gcathaoir sa chistin. (P) Cuir báisín uisce ar an urlár agus mo chosa istigh ann. (P) Cuir mo bhróga ar an urlár, freisin. (P) Tarraing bord agus cuir tuáille air. (P) Anois, dathaigh an pictiúr. (P)

*Anois, éist agus cloisfidh tú an giota arís.*

## Rian 4: Leathanach a cúig déag

Éistigí leis an dán '**An Dearcán'.**

## Rian 5: Leathanach fiche a dó

Léifidh mé an píosa seo agus éist liom agus bí ag féachaint ar na habairtí. Scríobh an focal 'fíor' nó 'bréagach' i ndiaidh na n-abairtí.

Bhí sé leathuair tar éis a hocht. (P) Bhí Ciara ag dul ar scoil. (P) Bhí a mála scoile ar a droim aici. (P) Thosaigh an madra Róló ag siúl ina diaidh. (P) Ní fhaca Ciara é. Tháinig sí go dtí doras na scoile. Chonaic sí an múinteoir ansin.
'An bhfuil Róló ag teacht ar scoil inniu?' arsa an múinteoir.
Ansin chonaic Ciara Róló.
'A Róló,' arsa Ciara, 'níl cead agat teacht ar scoil. Téigh abhaile anois.'
Shiúil Róló abhaile. (P)
'Maith an madra thú,' arsa Ciara agus shiúil sí isteach sa scoil. (P)

*Éist agus léifidh mé an píosa arís, faigh do pheann agus scríobh an focal 'fíor' nó 'bréagach' i ndiaidh na n-abairtí.*

## Rian 6: Leathanach fiche a ceathair

Éistigí leis an scéal '**Na Peataí'.**

## Rian 7: Leathanach fiche a sé

Tá Ciara tinn. Tá sí sa leaba. Tá Rící—an luch—sa seomra freisin. Tá teirmiméadar ag Mamaí agus tá Ciara ag caint léi. Éistigí leo.

## RIAN 8: LEATHANACH FICHE A SEACHT

Féach ar na pictiúir agus éist leis an dán '**Áthas'.**

## RIAN 9: LEATHANACH TRÍOCHA A HAON

Tóg amach do chóipleabhar agus do pheann. Féach ar an bpictiúr. Anois scríobh síos uimhir a haon ar do chóipleabhar agus éist liom.

Tá hata ar Laoise agus tá gloine ina láimh aici: 'fíor' nó 'bréagach'. Anois, scríobh an focal 'fíor' nó 'bréagach'. (P) Scríobh uimhir a dó anois. (P) Tá braillín ar Chiarán. Tá úll ina láimh aige. Scríobh an focal 'fíor' nó 'bréagach'. (P) Scríobh uimhir a trí, anois. (P) Tá beach ina suí ar an gclog. Tá sé leathuair tar éis a hocht: 'fíor' nó 'bréagach'. (P) Anois scríobh uimhir a ceathair. (P) Tá an taibhse ag ithe briosca: 'fíor' nó 'bréagach'. (P) Scríobh uimhir a cúig anois (P) agus éist liom arís. Chuir Ciara fáinne ar an bpláta: 'fíor' nó 'bréagach'. (P)

*Éist agus cloisfidh tú an giota arís.*

## RIAN 10: LEATHANACH TRÍOCHA A SEACHT

Éistigí leis an dán '**Arsa an tUlchabhán'.**

## RIAN 11: LEATHANACH A DAICHEAD

Tóg amach do chóipleabhar agus do pheann luaidhe agus éist leis an scéal.

Rinne Ciara ceapaire inné. Chuir sí an ceapaire ar phláta a bhí ar an mbord. Ansin d'imigh sí isteach sa seomra suí. Tháinig cat isteach sa chistin. Bhí ocras air. Bhí ocras an domhain air.

'Tá ocras an domhain orm,' arsa an cat leis féin.
'An bhfuil aon bhia sa chistin?' ar seisean.
D'fhéach sé timpeall. Ní raibh aon duine sa chistin. Léim sé ar an mbord agus thosaigh sé ag ithe an cheapaire.

Tarraing an cat ar an mbord ag ithe an cheapaire. (P) Cuir arán, scian agus im ar an mbord freisin. (P) Ansin dathaigh an pictiúr. (P)

*Anois, cloisfidh tú an scéal arís.*

## RIAN 12: LEATHANACH DAICHEAD A SÉ

Éistigí leis an dán '**Donncha Rua'.**

## RIAN 13: LEATHANACH DAICHEAD A SEACHT

Féachaigí ar an bpictiúr ar leathanach daichead a seacht agus éistigí leis an scéal '**Ricí agus Licí'.**

## RIAN 14: LEATHANACH A CAOGA

Tá sé a naoi a chlog. Tá Ciarán sa seomra scoile. Tá sé ina shuí. Ach, cad é sin atá ar a láimh aige? Tá an muinteoir ina seasamh agus tá sí ag caint leis. Éistigí leo.

## RIAN 15: LEATHANACH CAOGA A NAOI

Tóg amach do chóipleabhar agus faigh do pheann luaidhe agus éist liom.

Tarraing an pictiúr seo i do chóipleabhar ar dtús. (P)

Siúlann Ciarán isteach sa seomra.
'Ba mhaith liom féachaint ar an teilifís,' ar seisean.
Tógann sé an cianrialtán ina láimh agus cuireann sé an teilifís ar siúl. Tá cartún ar an teilifís. Tarraing cartún ar an teilifíseán. (P) Cuireann Ciarán an cianrialtán ar an tolg. Tarraing an cianrialtán ar an tolg. (P) Lasann sé an solas ansin. Cuir an solas ar lasadh ar bharr an phictiúir. (P) Feiceann sé an cat ina chodladh ar an ruga ag bun an phictiúir. Tarraing an cat ina chodladh ar an ruga ag bun an phictiúir. (P) Níor thaitin an cartún le Ciarán.
'Ní maith liom an cartún sin,' arsa Ciarán. 'Cén t-am anois é?'
Féachann sé ar an gclog. Tá sé ceathrú tar éis a cúig. Cuir an t-am seo ar an gclog. (P)
'Ba mhaith liom leabhar a léamh,' arsa Ciarán.
Feiceann sé leabhar ar an matal. Cuir an leabhar ar an matal. (P) Tógann Ciarán é agus tosaíonn sé ag léamh an leabhair.

*Ansin, cloisfidh tú an giota arís.*

## RIAN 16: LEATHANACH SEASCA A HAON

Éistigí leis an dán '**An Teilifís'.**

## RIAN 17: LEATHANACH SEASCA A HOCHT

Tóg amach do chóipleabhar agus faigh do pheann luaidhe agus do chriáin. Tarraing an pictiúr seo i do chóipleabhar ar dtús agus ansin éist liom. (P)

Siúlann Ciarán isteach sa siopa gach tráthnóna. Bíonn a mhála scoile ar a dhroim aige. Cuir an mála scoile ar a dhroim. (P) Feiceann an siopadóir é.
'Dia duit, a Chiaráin,' a deir sé. 'Conas tá tú?'
'Tá mé go maith, go raibh maith agat,' a deir Ciarán.

'Cad tá ag teastáil uait?' a deir an siopadóir.
'Tá líreacán agus barra seacláide ag teastáil uaim,' a deir Ciarán.
'Ó, tá siad sin agam,' a deir an siopadóir agus cuireann sé an líreacán agus an barra seacláide ar an gcuntar. Tugann Ciarán cúig euro don siopadóir. Tarraing an cúig euro i láimh Chiaráin. (P) Cuir an líreacán agus an barra seacláide ar an gcuntar. (P) Anois, tarraing an siopadóir taobh thiar den chuntar. (P)

*Anois, cloisfidh tú an giota arís.*

## RIAN 18: LEATHANACH SEACHTÓ A CEATHAIR

Éistigí leis an dán '**Taisteal'.**

## RIAN 19: LEATHANACH SEACHTÓ A CÚIG

Éistigí leis an scéal '**An Bráisléad agus an Phléascóg'.**

## RIAN 20: LEATHANACH A HOCHTÓ

Tá Mamaí agus Ciara sa seomra teaghlaigh. Tá sé ceathrú tar éis a cúig. Tá mála scoile ar an urlár. Tá an teilifíseán ar siúl. Tá cartún ar siúl air. Ba mhaith le Ciara é a fheiceáil. Tá sí ag caint lena Mamaí. Éistigí leo.

## RIAN 21: LEATHANACH OCHTÓ A CÚIG

Tóg amach do chóipleabhar agus do pheann luaidhe agus éist leis an ngiota seo.

Is coimhthíoch mise. Zénó is ainm dom. Tá mé ag na pictiúir. Tarraing pictiúr díom i mo shuí ar chathaoir ag féachaint ar

an bpictiúr agus mé ag gáire. (P)
Anois, tá mé ag siúl trasna na sráide. Tarraing mé ag siúl ar an mbealach trasnaithe. (P) Tá sorcas sa bhaile mór. Tarraing mé ag siúl isteach sa sorcas. (P)
Tá an lá an-te. Tarraing mé ag snámh san fharraige. (P) Ná déan dearmad ar an ngrian a chur ag taitneamh sa spéir. (P)

*Anois, cloisfidh tú an giota arís.*

## RIAN 22: LEATHANACH NÓCHA A CÚIG

Faigh do chóipleabhar agus do pheann luaidhe agus éist liom.

Bhí seomra codlata Shíle bunoscionn inné. Bhí Síle ag imirt cluiche ríomhaire. Tháinig Mamaí isteach sa seomra.
'Tá do sheomra bunoscionn,' arsa Mamaí.
'Á, níl,' arsa Síle.
'Féach,' arsa Mamaí. 'Tá do ghúna agus do charbhat ar an leaba. Tá do bhróga ar an gcófra. Tá do stocaí ar an radaitheoir.'
Anois, tarraing seomra codlata Shíle. (P) Cuir fuinneog ar an mballa agus leaba fúithi. (P) Cuir gúna agus carbhat Shíle ar an leaba. (P) Tarraing an cófra agus cuir bróga air. (P) Tarraing radaitheoir agus cuir stocaí air. (P) Cuir clog ar an mballa. (P) Tá sé ceathrú chun a dó. Taispeáin an t-am sin ar an gclog. (P) Tá scamaill sa spéir. Tarraing na scamaill sa spéir. (P)

*Anois, cloisfidh tú an giota arís.*

## RIAN 23: LEATHANACH NÓCHA A SÉ

Éistigí leis an dán '**Éadaí'.**

## Rian 24: leathanach nócha a naoi

Tóg amach do pheann luaidhe agus éist liom. Féach ar an bpictiúr.
Seo é an garáiste atá ag Mamaí. Cuir lámhainní agus canna péinte ar an tseilf. (P) Cuir buataisí agus lomaire faiche faoin tseilf. (P) Tarraing rópa agus dréimire ar crochadh ar an mballa. (P) Tarraing luch ag rith trasna an urláir. (P) Ná déan dearmad ar an gcoimhthíoch ag féachaint isteach an fhuinneog. (P)

*Anois, cloisfidh tú an giota arís.*

## Rian 25: leathanach céad a trí

Tóg amach do pheann luaidhe, do chriáin agus do chóipleabhar agus éist liom.
Tarraing an pictiúr den samhradh i do chóipleabhar. (P) Cuir dath gorm ar an spéir is ar an bhfarraige. (P) Cuir dath buí ar an ngrian is ar an ngaineamh. (P) Dathaigh na carranna freisin. (P) Cuir dath dearg, oráiste agus glas orthu. (P) Cuir dath donn ar an mballa is ar an liathróid. (P)

*Anois, cloisfidh tú an giota arís.*

## Rian 26: leathanach céad a sé

Éistigí leis an dán '**An Féileacán'.**

## Rian 27: leathanach céad a naoi

Faigh do pheann luaidhe, do chóipleabhar agus do chriáin agus éist liom.

Tarraing an pictiúr den fhómhar i do chóipleabhar ach ná tarraing ach fáinleog amháin. (P) Cuir cupla duilleog ar na géaga agus tarraing an féar ag fás. (P) Cuir dath donn ar an gcrann agus dath oráiste ar na duilleoga. (P) Cuir dath dubh agus bán ar an bhfáinleog. (P)

*Anois, cloisfidh tú an giota arís.*

## RIAN 28: LEATHANACH CÉAD A CÚIG DÉAG

Éistigí leis an dán '**An Trá'.**

## RIAN 29: LEATHANACH CÉAD A NAOI DÉAG

Tóg amach do pheann luaidhe. Féach ar an bpictiúr agus éist liom. (P)

Bhí tusa sa zú inné. Cheannaigh tú ticéad. Thug tú trí euro air. Ansin shiúil tú isteach. Chonaic tú a lán ainmhithe. Cuir leon i gcás amháin, (P) tíogar i gcás eile (P) agus goraille i gcás eile fós. (P) Tarraing triúr cailíní ag féachaint ar an ngoraille. (P) Tarraing beirt bhuachaillí ag féachaint ar an leon (P) agus aon bhean amháin ag féachaint ar an sioráf. (P)

*Anois, cloisfidh tú an giota arís.*

## RIAN 30: LEATHANACH CÉAD IS FICHE

Éistigí leis an scéal '**Is Mise an Rí'.**

## RIAN 31: LEATHANACH CÉAD FICHE A CEATHAIR

Tá lomaire faiche sa gharáiste. Tá dréimire agus lámhainní ar crochadh ar an mballa. Tá Daidí Liam ag dul isteach sa gharáiste. Tá Liam ag caint leis. Éistigí leo.

# INIS DOM 5: CD

## RIAN 1: LEATHANACH A CÚIG

Féachaigí ar an bpictiúr agus éistigí liom.

Bhí an múinteoir ag obair sa seomra ranga. Tháinig Ciara agus Síle isteach sa seomra.
'An bhfuil cead againn cuidiú leat?' arsa Síle.
'Ó, tá, cinnte, a chailíní,' arsa an múinteoir. 'Go raibh maith agaibh. Féach, a Chiara, croch an léarscáil ag barr an tseomra. A Shíle, cuir an féilire ag barr an tseomra, freisin.'
Anois, tarraing an léarscáil agus an féilire ag barr an tseomra. (P)
'Anois, a Shíle,' arsa an múinteoir, 'cuir an bosca bruscair ag bun an tseomra agus, a Chiara, cuir an leabhar seo sa leabharlann ag bun an tseomra.'
Anois, tarraing an bosca bruscair agus an leabharlann ag bun an tseomra. (P)

*Anois, cloisfidh sibh an píosa arís.*

## RIAN 2: LEATHANACH A HAON DÉAG

Éistigí leis an dán '**Sonia**'.

## RIAN 3: LEATHANACH A SÉ DÉAG

Éist leis an scéal agus scríobh an focal 'fíor' nó 'bréagach' i ndiaidh na n-abairtí.

Bhí Seán sa chathair inné. Shiúil sé isteach sa siopa agus cheannaigh sé leabhar. (P) Nuair a tháinig sé amach as an

siopa chas sé ar chlé agus shiúil sé go dtí an crosaire. (P) Bhí garda ansin. (P)
'Dia duit, a Sheáin,' arsa an garda.
'Dia is Muire duit,' arsa Seán.
Chas sé ar chlé agus shiúil sé díreach ar aghaidh. Chonaic sé fón ar an taobh deas ag barr na sráide. (P) Chas Seán ar dheis. Chonaic sé páistí ag teacht as scoil ar an taobh deas den tsráid. (P) Bhuail sé lena chara, Ciarán, anseo agus shiúil siad díreach ar aghaidh go teach Chiaráin. (P) Bhí teach Chiaráin ar an taobh clé den tsráid.
'Ar mhaith leat teacht isteach agus féachaint ar na *Simpsons*?' arsa Ciarán.
'Ba mhaith liom cinnte,' arsa Seán.
Chuaigh siad isteach sa teach agus thosaigh siad ag féachaint ar an teilifís. (P)

*Anois, cloisfidh tú na h-abairtí arís.*

## RIAN 4: LEATHANACH FICHE A DÓ

Féachaigí ar an bpictiúr. Tá Seán agus a Mhamaí ag dul ar cuairt go teach a uncail. Cuireann a uncail, Tomás, agus a bhean, Máire, fáilte rompu. Buaileann Seán lena chol ceathar, Brian. Éistigí leis an scéal.

## RIAN 5: LEATHANACH FICHE A CEATHAIR

Tá Ciara agus a madra ag siúl ar an mbóthar. Tá Muiris sa chathaoir rothaí. Tá sé ag cuimilt an mhadra agus ag caint le Ciara. Éistigí leo.

## RIAN 6: LEATHANACH TRÍOCHA A DÓ

Éist leis an scéal agus ansin scríobh na freagraí.

Bhí Rúfaí ina luí ar mhata os comhair an tí Dé Luain seo caite. (P) Bhí sé a seacht a chlog. (P) Bhí an ghrian ag éirí. (P) Tháinig Cian, fear an bhainne, go dtí an geata. (P) Bhí trí bhuidéal bainne ina láimh aige. D'oscail sé an geata agus dhúisigh sé Rúfaí. (P) Thosaigh Rúfaí ag tafann. (P)
'Haló, a Rúfaí,' arsa Cian.
Nuair a chuala Rúfaí fear an bhainne ag caint bhí a fhios aige cé a bhí ann. Stad sé den tafann. D'oscail fear an bhainne an bosca bainne. Chuir sé na trí bhuidéal bainne isteach ann. (P) Ansin dhún sé an bosca. (P) Chuimil sé ceann Rúfaí.
'Slán agat, a Rúfaí, feicfidh mé amárach thú,' ar seisean agus d'imigh sé leis.

*Anois, cloisfidh tú an scéal arís.*

**RIAN 7: LEATHANACH TRÍOCHA A TRÍ**

Éistigí leis an dán '**An Deireadh Seachtaine'.**

**RIAN 8: FÉACHAIGÍ AR AN BPICTIÚR AR LEATHANACH DAICHEAD A TRÍ AGUS ÉISTIGÍ.**

Chuir Seán na greithe ar an mbord don bhricfeasta ar maidin. Chuir sé crúiscín bainne i lár an bhoird. Ansin, d'oscail sé an cófra agus thóg sé amach cupán, sásar, pláta agus babhla. Chuir sé an babhla ar an bpláta agus chuir sé iad ar an mbord os comhair na cathaoireach. Tarraing an pláta agus an babhla air, os comhair na cathaoireach. (P) Ansin, chuir sé an cupán ar an sásar agus chuir sé iad ar an taobh deas den phláta. Anois, tarraing an sásar agus an cupán air, ar an taobh deas den phláta. (P) Ansin, fuair Seán scian agus spúnóg. Chuir sé an scian idir an pláta agus an sásar agus chuir sé an spúnóg sa bhabhla. Anois, tarraing an scian idir an pláta agus an sásar agus cuir an spúnóg sa bhabhla. (P) Cuir bosca calóg arbhair ar an taobh clé den chrúiscín. (P) Dathaigh an pictiúr anois. (P)

*Éist agus cloisfidh tú an giota arís.*

### Rian 9: Leathanach daichead a naoi

Féachaigí ar an bpictiúr.

Tá clár scátála, rothar agus cat sa gharáiste. Tá dréimire ina lámha ag Seán agus ag Síle. Tá siad ag siúl i dtreo an chrainn. Tá madra os comhair an chonchró. Tá sé ag féachaint orthu. Éistigí leis an scéal '**Nead an Cholúir'.**

### Rian 10: Leathanach caoga a haon

Tá Ciara agus Ciarán ag caint. Éistigí leo.

### Rian 11: Leathanach caoga a hocht

Éist leis an ngiota seo a leanas agus ansin scríobh an focal 'fíor' nó 'bréagach' i ndiaidh na n-abairtí.

Bhí Tomás ina shuí ar an tolg. (P) Bhí sé ag féachaint ar an teilifís. Bhí a mhadra, Luas, ina luí ar an urlár in aice leis. Bhí sé ina chodladh. Bhí clár dúlra ar siúl ar an teilifís. (P) Thaispeáin an clár leoin agus tíogair. (P) Thosaigh na leoin agus na tíogair ag búiríl. (P) Dhúisigh an bhúiríl Luas. (P) Rith sé go dtí an teilifíseán agus thosaigh sé ag tafann go fíochmhar. (P) D'ísligh Tomás an fhuaim agus stad Luas den tafann. (P) 'Níl an clár sin oiriúnach duitse,' arsa Tomás agus chuir sé cainéal eile ar siúl.

*Anois, cloisfidh tú an giota arís.*

## Rian 12: leathanach seasca a ceathair

Éistigí leis an dán '**Litir ón Afraic'.**

## Rian 13: leathanach seasca a naoi

Éistigí leis an scéal seo faoi dhó agus ansin scríobhaigí na freagraí.

Bhí Seán ag siúl ar an tsráid tráthnóna inné. (P) Nuair a tháinig sé go bun na sráide bhuail sé le Ciarán. (P)
'Cá bhfuil tú ag dul?' arsa Ciarán.
'Tá mé ag dul go dtí an siopa físeán,' arsa Seán. (P) 'Tá mé chun físeán a fháil. Ar mhaith leat teacht liom?'
'Ba mhaith liom, cinnte,' arsa Ciarán. (P)
Chuaigh an bheirt acu isteach sa siopa físeán. Thosaigh siad ag féachaint ar na físeáin. Bhí físeáin uafáis, físeáin spóirt agus físeáin aicsin ar na seilfeanna. (P)
'Seo físeán aicsin an-mhaith,' arsa Ciarán. (P) 'Dúirt Liam Ó Sé liom go raibh sé ar fheabhas.'
'Cad é an t-ainm atá air?' arsa Seán.
'An Cóta Dubh,' arsa Ciarán. (P)
'Tá go maith,' arsa Seán. 'Tógfaimid an ceann sin.'
Thug sé a uimhir don fhreastalaí agus d'imigh siad abhaile. Chaith siad an tráthnóna ag féachaint ar an bhfíseán. Thaitin an físeán go mór leo. (P)

Anois, cloisfidh tú an scéal arís.

## Rian 14: leathanach seachtó a cúig

Féachaigí ar an bpictiúr.

Tá Ciara ag crochadh dréimire ar an mballa. Tá cannaí péinte ar sheilf amháin agus tá sábh agus casúr ar sheilf eile.

Tá duilleoga agus buicéad ar an urlár. Tá píobán uisce ar crochadh ar an mballa, freisin. Éistigí leis an scéal '**Ciara agus an tUachtar Reoite'.**

## RIAN 15: FÉACHAIGÍ AR AN BPICTIÚR AR LEATHANACH SEACHTÓ A SEACHT.

Tá Seán sínte ar an tolg. Tá Síle ina seasamh agus tá cianrialtán ina láimh aici. Tá leabhragán, teilifíseán agus lampa sa seomra. Níl an teilifíseán ar siúl agus níl an lampa ar lasadh. Tá Seán agus Síle ag argóint. Éistigí leo.

## RIAN 16: LEATHANACH A HOCHTÓ

Éistigí leis an dán '**Teilifís'.**

## RIAN 17: LEATHANACH OCHTÓ A SÉ

Féachaigí ar an bpictiúr agus éistigí.

Is spideog mise. Tá mé i mo sheasamh ar ghéag. Tá an t-earrach ann agus tá an ghrian ag taitneamh. Tá duilleoga glasa timpeall orm. Tarraing mé i mo sheasamh ar an ngéag. (P) Cuir duilleoga timpeall orm agus an ghrian ag taitneamh sa spéir. (P) Tá bláthcheapach san fhaiche. Tá Seán ar a ghlúine in aice léi. Tá lámhainní ar a lámha agus sluasaid bheag ina láimh dheas. Anois, tarraing Seán ar a ghlúine. (P) Cuir lámhainní ar a lámha agus sluasaid bheag ina láimh dheas. (P) Tá ceithre thiúilip ag fás sa bhláthcheapach. Tá Seán ag piocadh na bhfiailí atá ag fás timpeall orthu. Tarraing ceithre thiúilip agus na fiailí sa bhláthcheapach. (P) Feicim péisteanna sa chré. Beidh béile breá agam nuair a bheidh Seán críochnaithe. Anois, cuir cúpla péist ar an gcré. (P)

*Éistigí agus cloisfidh sibh an píosa arís.*

## Rian 18: Leathanach ochtó a sé

Éistigí leis an dán '**Gairdín Pháidín'.**

## Rian 19: Leathanach nócha a dó

Éistigí leis an dán '**An Geimhreadh'.**

## Rian 20: Leathanach nócha a seacht

Féach ar an bpictiúr agus éistigí liom.

Ghlac Seán páirt sa chomórtas bréagéadaigh Dé Domhnaigh seo caite. Chuir sé éide fir grinn air. Shiúil sé amach ar an stáitse. Bhí trí bhalún i láimh amháin aige agus bata cam sa láimh eile. Bhí bróga an-mhór air. Bhí hata an-bheag ar a cheann. Bhí cóta mór agus bríste mór air.
Anois, tóg suas do pheann luaidhe agus tarraing Seán ag siúl amach ar an stáitse. (P) Cuir cóta mór air agus bríste mór air. (P) Cuir trí bhalún i láimh amháin agus bata cam sa láimh eile. (P) Tarraing hata beag ar a cheann. Cuir paistí ar a chóta agus ar a bhríste. (P) Cuir dath buí, gorm agus dearg ar na paistí. (P) Anois, cuir srón dhearg ar a aghaidh. (P)

*Cloisfidh sibh an giota seo arís.*

## Rian 21: Leathanach céad a cúig

Féachaigí ar an bpictiúr.
Tá Daidí, Seán agus Síle os comhair an ionaid siopadóireachta. Tá tralaí lán ag Seán. Tá an cófra bagáiste ar oscailt ag Daidí. Tá an ghaoth ag séideadh go láidir agus tá na géaga ag lúbadh. Éistigí leis an scéal '**Daidí Bocht'.**

## RIAN 22: LEATHANACH CÉAD A SEACHT

Tá Brian agus Seán ag caint ar an bhfón. Éistigí leo.

## RIAN 23: LEATHANACH CÉAD A CEATHAIR DÉAG

Éistigí leis an ngiota seo agus ansin scríobh an focal 'fíor' nó 'bréagach' i ndiaidh na n-abairtí.

Tá nóiméad amháin fágtha. (P) Tá na foirne ar comhscór. Tá dhá chúl agus trí chúilín ag Scoil Phóil (P) agus cúl agus sé chúilín ag Scoil Phádraig. Buaileann Liam, cúlbáire Scoil Phóil, an sliotar amach go lár na páirce. (P) Beireann Seán ó Scoil Phádraig air. Buaileann sé é i dtreo an chúil. (P) Titeann sé sa chearnóg. Ritheann an lánchúlaí agus an lántosaí ina dhiaidh. Déanann an lánchúlaí calaois ar an lántosaí. Séideann an réiteoir an fheadóg. (P) Tugann sé poc pionóis do Scoil Phádraig. (P) Tógann Ciarán an poc pionóis. Faigheann sé cúl. Séideann an réiteoir an fheadóg agus tá an cluiche thart. Tá an bua ag Scoil Phádraig. (P)

*Anois, cloisfidh sibh na h-abairtí arís.*

## RIAN 24: LEATHANACH CÉAD FICHE A CEATHAIR

Tá Seán agus Ciara ag caint. Éistigí leo agus, ansin, scríobhaigí an focal 'fíor' nó 'bréagach' i ndiaidh na n-abairtí.

Seán: A Chiara, ar thaitin an turas scoile leat?
Ciara: Thaitin sé go mór liom. (P)
Seán: Cá ndeachaigh an rang?
Ciara: Chuaigh an rang go Cill Airne. Chuamar ann ar an traein. (P)
Seán: Cá ndeachaigh sibh nuair a bhí sibh i gCill Airne?

| | |
|---|---|
| Ciara: | Ar dtús, chuamar go Loch Léin. Chuamar isteach i mbád agus thóg an bád sinn amach sa loch. (P) |
| Seán: | An raibh an aimsir go breá? |
| Ciara: | Thosaigh sé ag cur fearthainne nuair a bhíomar sa bhád ach bhí an t-ádh linn. (P) Bhí díon air agus bhíomar go breá tirim. (P) |
| Seán; | Cá ndeachaigh sibh ansin? |
| Ciara: | Chuamar go Caisleán Rois agus ansin go Teach Mhucrois. |
| Seán: | Cé acu ab fhearr leatsa, an caisleán nó an teach? |
| Ciara: | B'fhearr liom an caisleán mar bhí radharc an-álainn againn nuair a bhíomar ar a bharr. (P) |

*Anois, cloisfidh sibh an píosa seo arís.*

## Rian 25: leathanach céad fiche a cúig

Éistigí leis an dán '**Cois na Farraige**'.

## Rian 26: leathanach céad tríocha a haon

Féachaigí ar an bpictiúr. Tá na buachaillí ag imirt iománaíochta sa pháirc. Tá an rí, Conchúr, ag féachaint orthu. Tá beirt saighdiúirí in éineacht leis. Éistigí leis an scéal '**Cúchulainn**'.

## Rian 27: leathanach céad tríocha a trí

Bhí Síle ar thuras scoile. Tá sí ag tabhairt bronntanais dá Mamaí. Éistigí leo.

# INIS DOM 6: CD

## RIAN 1: LEATHANACH A CÚIG

Bhí tinneas fiacaile uafásach ar Sheán inné. Chuaigh sé go clinic an fhiaclóra. D'oscail an fáilteoir an doras. Thaispeáin sí an seomra feithimh dó. Bhí beirt sa seomra feithimh roimhe. Bhí bord i lár an tseomra. Cuir leabhar agus greannáin ar an mbord. (P)
Chonaic Seán seanfhear ina shuí ar chathaoir ar an taobh clé den seomra. Bhí sé ag léamh leabhair. Tarraing an seanfhear ina shuí ar an gcathaoir agus é ag léamh leabhair. (P)
Bhí bean ina suí ar chathaoir ar an taobh deas den seomra. Bhí spéaclaí uirthi agus bhí sí ag léamh páipéir. Tarraing an bhean ina suí ar an gcathaoir ar an taobh deas den seomra agus í ag léamh an pháipéir. (P) Cuir spéaclaí uirthi. (P)
Cuir clog ar an mballa. Cuir isteach an t-am: leathuair tar éis a trí. (P)

*Anois, cloisfidh tú an píosa seo arís.*

## RIAN 2: LEATHANACH A CÚIG DÉAG

Tá Cathal ina chónaí ar thaobh na sráide ar Bhóthar an Chnoic. Chuaigh sé go teach Chiaráin tráthnóna inné. Nuair a dhún sé an doras chas sé ar chlé agus shiúil sé go dtí an crosaire. D'fhéach sé ar dheis. Chonaic sé garda ar bharr Bhóthar na Rí. Tarraing an garda ar bharr Bhóthar na Rí. (P)
Shiúil Cathal díreach ar aghaidh go dtí an Bóthar Bán. Tarraing siopa milseán ar an taobh clé den Bhothar Bán. (P)
Nuair a shroich sé bun an Bhóthair Bháin chonaic sé madra ag rith trasna an chrosaire ó Shráid an Chaisleáin go Sráid Victoria. Tarraing an madra ag rith trasna an chrosaire. (P)
Chas Cathal ar dheis agus shiúil sé go barr Shráid an

Chaisleáin. Chas sé ar chlé ansin agus shiúil sé ar an mBóthar Ard gur shroich sé teach Chiaráin.
Tarraing teach Chiaráin ar an taobh clé den Bhóthar Ard. (P)

*Anois, cloisfidh tú an píosa seo arís.*

**RIAN 3: LEATHANACH FICHE A HAON**

Éistigí leis an dán '**An Iomáint** '.

**RIAN 4: LEATHANACH FICHE A DÓ**

**'An Sionnach agus na Dreancaidí'**

**RIAN 5: LEATHANACH FICHE A CEATHAIR**

Buaileann Seán le Ciarán agus Ciara ar an tsráid. Tá siad ag caint faoi chluiche. Éistigí leo.

**RIAN 6: LEATHANACH TRÍOCHA A HAON**

Éist agus freagair na ceisteanna.

Bhuail an clog. Bhí sé leathuair tar éis a dó dhéag. (P) Chuir Nóra an leabhar Béarla isteach ina mála. (P) Thóg sí amach an bosca lóin. D'oscail sí é. Thóg sí amach ceapaire cáise. (P) Thosaigh sí ag ithe. Thug a cara, Íde, milseán di. (P) D'ith sí é. D'ól sí buidéal bainne ansin. (P) Chuir sí an buidéal folamh agus an bosca lóin isteach ina mála arís. Chonaic sí píosa páipéir ar an urlár. (P) Rug sí air. Shiúil sí go bun an tseomra. Bhí bosca bruscair ansin. (P) Chuir Nóra an píosa páipéir isteach ann. (P) Ansin shuigh sí ar a cathaoir arís.

*Anois, cloisfidh sibh na h-abairtí arís.*

## Rian 7: Leathanach tríocha a seacht

Éistigí leis an dán '**Cuairteoirí'.**

## Rian 8: Leathanach daichead a dó

Éist agus scríobh an focal 'fíor' nó 'bréagach'.

Chuaigh Daidí isteach sa siopa glasraí. Chonaic sé deich mbosca: fíor nó bréagach? (P)
D'fhéach sé isteach sa chéad bhosca. Chonaic sé deich bpráta ann: fíor nó bréagach? (P)
Bhí cúig thráta sa dara bosca: fíor nó bréagach? (P)
Chonaic sé ceithre chucamar sa tríú bosca: fíor nó bréagach? (P)
Bhí cúig chóilís sa cheathrú bosca: fíor nó bréagach? (P)
Thóg sé dhá oinniún as an gcúigiú bosca agus bhí sé oinniún fágtha: fíor nó bréagach? (P)
Bhí an deichiú bosca lán de bhananaí: fíor nó bréagach? (P)
Chonaic sé deich n-oráiste san ochtú bosca: fíor nó bréagach? (P)
Bhí dhá phiorra dhéag sa seachtú bosca: fíor nó bréagach? (P)
Chonaic sé trí úll déag sa séú bosca: fíor nó bréagach? (P)

*Anois, cloisfidh sibh na h-abairtí arís.*

## Rian 9: Leathanach daichead a seacht

Éistigí leis an dán '**B'fhearr Liomsa'.**

## Rian 10: Leathanach daichead a hocht

**Odysseus agus Polyphemus**

## RIAN 11: LEATHANACH A CAOGA

Tá Ciara agus Ciarán sa siopa grósaera. Tá siad ag caint leis an siopadóir. Éistigí leo.

## RIAN 12: LEATHANACH CAOGA A SEACHT

Éist agus scríobh an focal 'ceart' nó mí-cheart'.

Tháinig na páistí abhaile ar an traein. (P) Bhí athair agus máthair Chiaráin agus Chiara ag an stáisiún rompu.
'Bhí sibh go h-iontach,' arsa athair Chiaráin. 'Tá gach duine ag caint fúibh. An bhfuil ocras oraibh?'
'Níl,' arsa Ciarán. 'Bhí béile deas againn sa cheaintín i Raidió Teilifís Éireann.' (P)
Shiúil siad go dtí an carr. Bhí sé ar thaobh na sráide os comhair an tsiopa grósaera. (P) D'oscail athair Chiaráin an cófra bagáiste. (P) Chuir Ciarán a phianóchairdín isteach ann. (P) Chuir Ciara a giotár isteach ann freisin. (P) Shuigh na páistí i gcúl an chairr. Leag Síle a veidhlín ar a glúine. Thiomáin máthair Chiaráin an carr go teach Shíle ar dtús. Bhí sí ina cónaí in uimhir a naoi, an Bóthar Buí. (P) Ansin thiomáin sí an carr abhaile. (P) Chodail na páistí go sámh an oíche sin.

*Anois, cloisfidh sibh an giota arís.*

## RIAN 13: LEATHANACH CAOGA A HOCHT

Éistigí leis an dán '**An Bosca**'.

## RIAN 14: LEATHANACH SEASCA A HOCHT

Bhí Daideo ag siúl síos an tsráid. (P) Bhuail sé le Síle agus Ciara ag an gcrosaire. Bhí rothar nua ag Síle. (P)
'Tá an rothar sin an-deas,' arsa Daideo. 'Cathain a fuair tú é?'

'Bhí mo bhreithlá agam inné,' arsa Síle. 'Thug Mamaí an rothar dom.' (P)
'Ó, rinne mé dearmad,' arsa Daideo. 'Seo dhuit mo bhronntanas.'
Thug sé fiche euro do Shíle. (P)
'An raibh cóisir an-deas agat?' ar seisean.
'Bhí an-chóisir agam,' arsa Síle. 'Tháinig mo chairde go léir. Thug siad a lán bronntanas dom.'
'Is dócha gur ith sibh a lán,' arsa Daideo.
'D'itheamar,' arsa Ciara. 'Ditheamar brioscaí agus borróga (P) agus d'ólamar lúcosáid agus líomanáid.' (P)
'An raibh cáca breithlae agaibh?' arsa Daideo.
'Bhí,' arsa Síle, 'ach nuair a bhíomar ag imirt sacair ar chúl an tí, léim an madra ar an mbord agus d'ith sé an cáca. Bhí Mamaí an-chrosta ach thaitin an chóisir go mór liom.' (P)

*Anois, cloisfidh tú an píosa seo arís.*

**RIAN 15: LEATHANACH SEACHTÓ A CEATHAIR**
**Rí na nÉan**

**RIAN 16: LEATHANACH SEACHTÓ A SÉ**

Tá Mamaí, Daidí, Ciara agus Ciarán ag stáisiún na traenach. Tá siad ag caint. Éistigí leo.

**RIAN 17: LEATHANACH OCHTÓ A TRÍ**

Éist leis an ngiota seo agus ansin scríobh na freagraí.
Leanann Aoife Chelsea. (P) Leanann a haintín, Máire, an fhoireann chéanna. Bhí Chelsea ag imirt i gcoinne Liverpool Dé Domhnaigh seo caite. Bhí an cluiche i Wembley. (P) Chuaigh Aoife agus a haintín go Londain. Chuaigh siad ann ar eitleán. (P) Cheannaigh Máire dhá thicéad fillte. Shroich

siad Wembley ar a dó a chlog. (P) Thosaigh an cluiche ar a trí a chlog. Chonaic siad sárchluiche. Rinne cúlaí Chelsea calaois ar thosaí. (P) Shéid an réiteoir an fheadóg. Thaispeáin sé cárta dearg don chúlaí. (P) Thug sé cic pionóis do Liverpool. Thóg an tosaí an cic pionóis. Stop an cúl báire é lena lámha ach níor rug sé ar an liathróid. Fuair an tosaí seans eile agus níor theip air an t-am seo. Fuair sé cúl. Bhí an bua ag Liverpool. Bhí brón ar Aoife nuair a chaill Chelsea an cluiche. (P)

*Anois, cloisfidh tú an giota seo arís.*

## Rian 18: Leathanach ochtó a naoi

Éistigí leis an dán '**Aire!**'.

## Rian 19: Leathanach nócha a ceathair

Éist agus scríobh na freagraí.

Bhí Seán ar a rothar. Bhí slat iascaigh ina láimh aige. (P)
Chonaic sé a chara Pól, ag siúl ar an mbóthar. (P)
'A Phóil,' arsa Seán, 'ar mhaith leat dul ag iascaireacht?'
'Ba mhaith liom cinnte,' arsa Pól. 'Féach, fan liom anseo agus gheobhaidh mé mo shlat iascaigh.'
Tar éis tamaill, bhí an bheirt bhuachaillí ag rothaíocht go dtí an abhainn. Chuala siad an chuach ag canadh. (P)
'An mbéarfaimid ar aon rud?' arsa Pól.
'Níl a fhios agam,' arsa Seán, 'ach feicfimid.'
Tháinig siad go dtí an abhainn. Leag siad na rothair ar an bhféar. (P) Thosaigh siad ag iascaireacht. Rug Pól ar bhróg agus rug Seán ar mhála plaisteach. (P) Bhí ocras orthu ansin. Bhí ceapairí ag Seán. Thug sé dhá cheann do Phól. (P) Ghabh Pól buíochas leis. Chas siad abhaile ar a sé a chlog. (P) Thaitin an lá go mór leo.

*Cloisfidh tú an píosa seo arís.*

## **RIAN 20: LEATHANACH A CÉAD**

## **Bhí an tÁdh le Síle**

## **RIAN 21: LEATHANACH CÉAD A DÓ**

Tá Ciara sa leaba san ospidéal. Thug Síle agus Seán cuairt uirthi. Tá siad ag caint. Éistigí leo.

## **RIAN 22: LEATHANACH CÉAD A DEICH**

Éist agus scríobh an focal 'fíor' nó bréagach'.

Bhí Tomás ag dul faoi láimh easpaig. Bhí éadaí nua ag teastáil uaidh. (P) Ghlaoigh Daidí air. (P)
'Tá lá saoire againn inniu,' ar seisean. 'Rachaimid isteach sa chathair agus ceannóimid culaith nua.'
Thóg an bus isteach go lár na cathrach iad. (P) Bhí an siopa éadaigh in aice leis an mbanc. (P) Shiúil siad isteach ann.
'Anois, a Thomáis,' arsa Daidí. 'Féach ar gach culaith agus pioc amach an ceann is fearr leat.'
Chuaigh Tomás ó chulaith go culaith. Tar éis tamaill, chonaic sé culaith dheas.
'Is maith liom an chulaith seo,' ar seisean. 'Tá dath glas ar an gcóta (P) agus tá léine bhuí ag dul leis.'
Thaispeáin an siopadóir carbhat dó. Bhí dath gorm agus buí air. Chuaigh Tomás go dtí an seomra gléasta. Chuir sé na héadaí air. D'fhéach sé sa scáthán. (P) Thaitin an chulaith leis. Thaitin sí le Daidí, freisin. (P) Thug sé céad is seasca euro don siopadóir. (P) Thóg tacsaí abhaile iad. Bhí bród an domhain ar Thomás.

*Anois, cloisfidh tú an giota seo arís.*

### Rian 23: Leathanach céad a haon déag

Éist le '**Ag Críost an Síol'.**

### Rian 24: Leathanach céad is fiche

Éist agus scríobh na freagraí.

Bhí Áine ag dul go dtí an baile mór. (P) Bhí sí ar a rothar. (P) Bhuail sí le Ciara ag an gcrosbhóthar. (P)
'Dia duit, a Chiara,' arsa Áine. 'Cá bhfuil tú ag dul ar saoire i mbliana?'
'Tá mé ag dul go Coláiste na Rinne,' arsa Ciara.
'Go maith,' arsa Áine. 'Bhí mé ann an samhradh seo caite (P) agus thaitin sé go mór liom. (P) Tá a lán caitheamh aimsire sa choláiste sin.'
'Cén caitheamh aimsire is fearr atá ann?' arsa Ciara.
'Is dóigh liom gurb é galf dhá mhaide an caitheamh aimsire is fearr atá ann. D'imir mé é gach tráthnóna.' (P)
'Ar chuir siad aon duine abhaile nuair a labhair siad Béarla?' arsa Ciara.
'Níor chuir,' arsa Áine, (P) 'ach caithfidh tú do dhícheall a dhéanamh an Ghaeilge a labhairt.'
'Go hiontach,' arsa Ciara. 'Táim cinnte go dtaitneoidh an tsaoire sin liom.'

*Éist agus cloisfidh tú an píosa seo arís.*

### Rian 25 Leathanach céad fiche a dó

Éistigí leis an dán '**Cois Farraige'.**

### Rian 26: Leathanach céad fiche a seacht

Éistigí leis an dán '**An Ghaoth'.**